中国近现代针灸文献研究集成

教材卷

王富春　杨克卫／主编

针灸基础分卷

两广篇（下）

北京科学技术出版社

中国针灸经穴学讲义
（罗兆琚）

提　要

一、作者小传

罗兆琚，字佩琼，号篁竹老人，广西柳州市人，生于光绪二十一年（1895），卒于民国三十四年（1945）。罗兆琚是近代针灸学家和中医教育家。他自学成才，将毕生精力投入到振兴针灸、弘扬国粹的伟大事业中。罗兆琚不仅理论扎实，而且擅长临床，尤其对针灸之研究颇为深刻。

罗兆琚少习岐黄之术，精研医理，潜心于针灸。20世纪30年代初，罗兆琚与中国针灸学研究社社长承淡安常有书信往来，以研讨针灸学术问题。民国二十二年（1933）《针灸杂志》创刊后，罗兆琚便将自己多年研究所得撰写成文，陆续按期投稿，刊登在《针灸杂志》上。罗兆琚深得承淡安赏识，1935年，应承淡安之邀请，罗兆琚受聘于江苏无锡中国针灸学研究社和针灸讲习所，任无锡中国针灸学研究社研究部主任兼编辑部副主任、讲习所讲师兼训育处主任、针灸杂志社编辑等职。1937年，罗兆琚为躲避战乱返乡，此后一直在广西各地行医治病，著书立说，培养后学。他在桂林、柳州、鹿寨、德胜等地共办了10多个针灸学习班，学员达200多人，直到20世纪70年代，柳州几家主要医院的针灸科骨干仍是罗兆琚的学生，如柳州市人民医院的郭仁希、柳州市工人医院的罗毅夫（罗兆琚之子）、柳州市中西医结合医院的罗惠芬（罗兆琚之侄孙女）等，他们在中华人民共和国成立后都成为广西柳州市著名的针灸医生。

二、版本说明

罗兆琚之《中国针灸经穴学讲义》（据序文定此名）为油印本，现有藏本3种，印刷排版略有不同，其中《经穴学》分别有黑色油墨印半册（风门穴起至终）、蓝色油墨印半册（序文至风门穴止，韩文彬签名、吴玉恩签名，共存两册）和蓝色油墨印全册（无封面，序文至终，俞志良签名）。查韩文彬、俞志良、吴玉恩皆为中国针灸学研究社不同时期社员，比较内容及字体，其中蓝色油墨印两种当为不同时期印制，黑色油墨印半册本较蓝色油墨本全册内容多了经外奇穴部分，如是推断此3种当为不同时期印制。据《针灸杂志》第3卷第2期载1935年共蓝油墨印一百份，此后什么时间加印及册数尚难确定。《中国针灸学讲义》（1938年初版）卷首编辑者言："本书初编，原为编者自办之中国针灸学讲习所学员作课本之用（系用油墨自印）。自廿六年（1937），交通被阻，讲习所陷于停顿，编者因鉴爱好斯学者众，于战事期中，药物来源困难，针灸术可代药物疗病，有过之无不及之伟效，亦亟应将斯学公开，以利民生，于是正式付印，定名曰《中国针灸学讲义》。……本书编辑时适为编者所设之针灸讲习所轫办伊始，事务冗繁，乃将《经穴学讲义》第二、三章与《治疗讲义》，指定蓝本与编制方式交与门人罗兆琚、邱茂良二君分任，编者则任增删之事，于此应表而出之，二君之力，未可据为己有也。中华民国二十九年（1940）十月。"编辑者言同时也介绍了《针科学讲义》《灸科学讲义》《经穴学讲义》《针灸治疗讲义》4种内容概况。据上文所述，题写《中国针灸学讲义》书名当为1938年以后。如上，推断《中国针灸经穴学讲义》（罗兆琚）应在1935—1938年作为教材印行。

三、内容与特色

《中国针灸经穴学讲义》（罗兆琚）当为《中国针灸学讲义》关于经穴内容最早的素材，该书是罗兆琚在中国针灸学研究社授课时编写的讲义。他在该书序中说："琚本樗栎庸才，谬蒙社长承淡安先生垂青，指示机宜，使斯道谋彻底之改进，故编辑本讲义时，悉将新旧各针书中有关于术学之研究者，靡不搜罗殆尽，阅时三易蝉圆而始成初稿。"该书共分两章。第一章为经穴学略说，主要载述骨度法、同身寸法说、十四经脉经穴部位分寸歌、井荥输原经合及络募标本浅说等；第二章介绍各部经穴，将经穴按头盖、颜面、前项、胸腹、侧身、腰背、肩胛、上肢、下肢等部位分类，分别介绍每穴的解剖、部位、经脉、主治、性质、禁忌、手术、别名、考证等内容。

现将该书的特色介绍如下。

（一）个体差异，定穴详细

该书提出以骨节为主要标志测量周身各部的大小、长短，并依其比例折算尺寸作为定穴的标准方法，阐述了由于每个人身高、体重有差异，所以对于不同人身上同一穴位的定位有差异。同身寸法需要在骨度法的基础上运用，明代张介宾的《类经图翼》也强调：“同身寸者，谓同于人身之尺寸也，人之长短肥瘦各自不同，而穴之横直尺寸亦不能一。”这种同身寸取穴的方法只是作为取穴法参考，同样要以骨度标志为准。具体穴位定位除用骨度法之外还要参考解剖学肌肉、神经的分布走向，以更好地指导临床上的进针方向及角度。

（二）特定取穴，病症兼治

该书中间部分详细地描述了十四经脉循行经文、经穴歌以及经穴分寸歌。经络将人体各部位紧密地联系起来，使人体各部的活动保持着完整和统一。五输穴对应五脏及四时，该书强调五输穴各有所主病证，同时提出上病下治的理论依据。该书还提出，慢病应选取经穴、合穴，而输穴、原穴可以根据病证兼用。这在目前的临床上广泛使用，并取得了良好的疗效。

（三）主治全面，禁忌明确

该书对全身穴位的解剖、部位、经脉、主治、性质、禁忌、手术、别名、考证等内容进行了总结，对禁针穴、禁灸穴、正穴、针灸俱禁穴也进行了标注。该书内容详细全面，对现代临床治疗有借鉴意义。

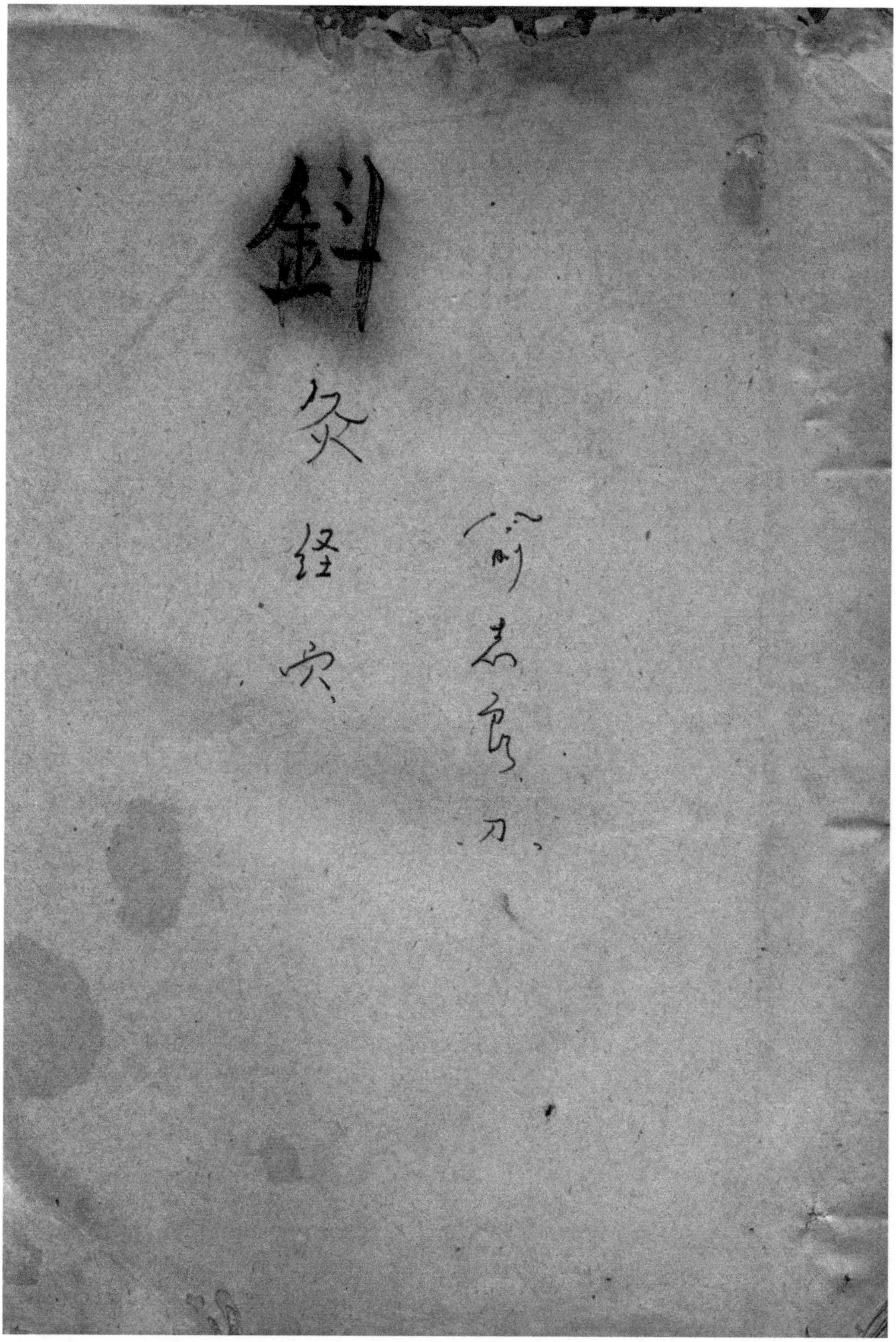
針
灸
经
穴

中国鍼灸經穴学講義序

鍼灸之治病。必根據於經穴。經穴云者，乃吾人身中之神經枝幹耳。昔我國古代醫學鍼書。多習於讖緯之說。謬誤甚多。若墨守成法。何能演進。以今日之時代。而證諸優勝劣敗之公例。其能長治久安乎。況值此西雨歐風。怒濤澎湃之秋。奚能任其摧殘。坐令文化不彰。國粹淪亡者哉。茲本樗櫟庸才。謬蒙社長承淡安先生垂青。指示機宜。使斯道謀澈底之改進。故編輯本講義時。悉將新舊各鍼書中有關於術學之研究者。靡不搜羅殆盡。閱時三易蟾圓。而始成初稿。學者能於此書中專心致志。倚為津梁。則雖不敢謂從此入室升堂。亦不致宮牆外望也。書成。幾經修改。始覺愜心。殺青在即。聊寫數言。倘蒙博雅君子。予以匡正。俾我國古代神聖醫術。不致淪沒。則區區之

志，亦如斯而已耳，是為序

中華民国二十四年十二月一日桂障中羅兆琚氏序於中国

鍼灸学研究社之辦公室

鍼灸經穴學講義目錄

第一章　經穴學畧説
第一節　骨度法
第二節　同身寸法説
第三節　十四經脉經穴部穴分寸歌
(1)肺經
肺經循行經文
肺經經穴部位歌
肺經經穴分寸歌
(2)大腸經
大腸經循行經文
大腸經經穴部位歌
大腸經經穴分寸歌
(3)胃經
胃經循行經文
胃經經穴部位歌

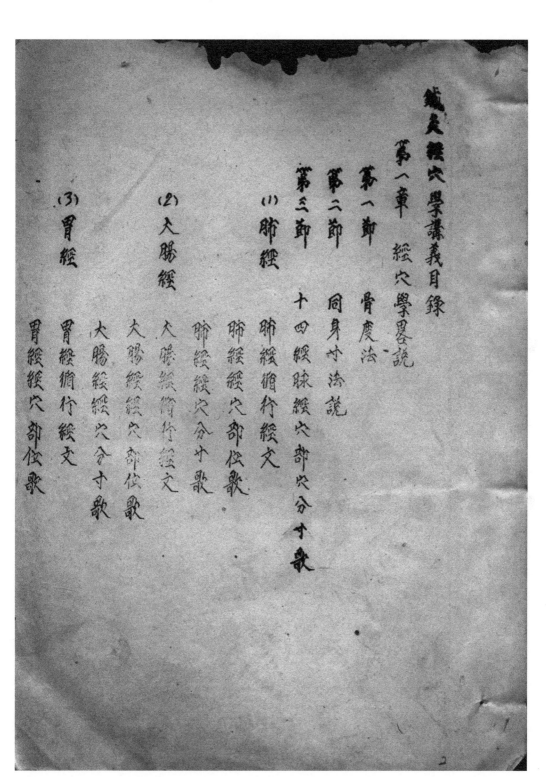

胃經經穴分寸歌

(4) 脾經

脾經循行經文
脾經經穴部位歌
脾經經穴分寸歌

(5) 心經

心經循行經文
心經經穴部位歌
心經經穴分寸歌

(6) 小腸經

小腸經循行經文
小腸經經穴部位歌
小腸經經穴分寸歌

(7) 膀胱經

膀胱經循行經文
膀胱經經穴部位歌
膀胱經經穴分寸歌

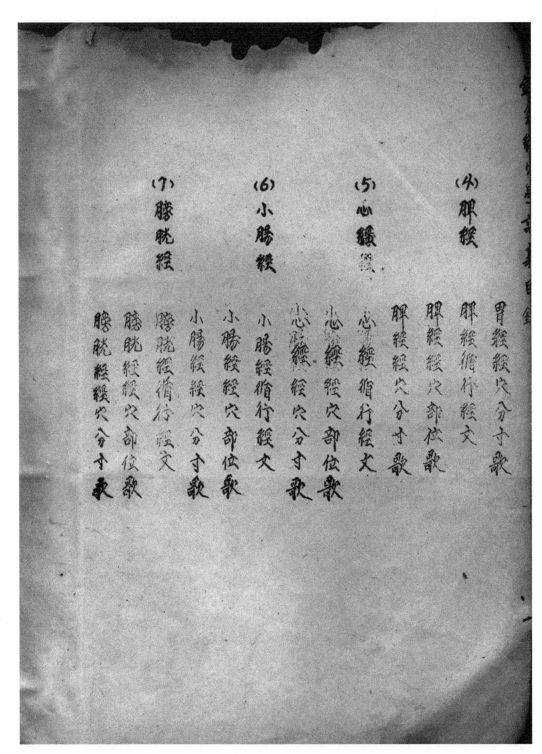

(8) 腎經

腎經循行經文
腎經經穴部位歌
腎經經穴分寸歌

(9) 心包經

心包經循行經文
心包經經穴部位歌
心包經經穴分寸歌

(10) 三焦經

三焦經循行經文
三焦經經穴部位歌
三焦經經穴分寸歌

(11) 膽經

膽經循行經文
膽經經穴部位歌
膽經經穴分寸歌

(12) 肝經

肝經循行經文

肝經經穴部位歌
肝經經穴分寸歌

(13) 任脉

任脉循行經文
任脉經穴部位歌
任脉經穴分寸歌

(14) 督脉

督脉循行經文
督脉經穴部位歌
督脉經穴分寸歌

第四節 井荥俞原經合及絡募標本淺説

第二章　各部經穴
第一節　頭蓋部經穴 21頁
第二節　顏面部經穴 40頁
第三節　頸項部經穴 53頁
第四節　胸腹部經穴 58
第五節　側身部經穴 92
第六節　腰背部經穴 97
第七節　上肢部經穴 137
第八節　下肢部經穴 169

鍼灸經穴學講義目錄終

鍼灸經穴學講義

柳州羅兆琚編撰

第一章 經穴學畧說

經者、常也。道也。猶道路之經常不變也。穴者、孔穴也。分隸於身體各經。其屬於陽經者。穴則多在關節之間。其屬於陰經者。穴則藏諸郄膕之內。然按科學之觀察。解剖之學理。而推之測之。則古人之所謂經者。為刺激點之反射路徑。或誘導之路徑耳。各經孔穴。即為各種疾患之療治點。亦即為各疾患治療之中樞也。經穴學云者。乃鍼灸醫術中最重要之學科也。各穴之發明。實出於上古。因年湮月久。已無典籍可稽。而十二經脈與奇經八脈。乃各穴腧之統系耳。茲依古人所述。分人體四肢、為三陰三陽之十二經。以作通氣血之道。所謂十二經者。即手太陰肺經。手少陰心經。手厥陰心包經。手太陽小腸經。手少陽三焦經。

手陽明大腸經。足太陰脾經。足少陰腎經。足厥陰肝經。足太陽膀胱經。足少陽膽經。足陽明胃經。皆位於人體左右。此外又別之為奇經八脈。曰督脈。曰任脈。曰衝脈。曰帶脈。曰陰蹻脈。曰陽蹻脈。曰陰維脈。曰陽維脈。而其中之督脈。走體後之正中綫。任脈走體前之正中綫。以此二脈。合前述之十二經。是謂十四經。內科據此以立方。鍼灸據此而施治。故統名之經穴。如就其原理、據科學而研究之專門書籍。則稱之為經穴學。此講義之名稱。乃因此立也。

第一節　骨度法

凡定穴而用尺度。當隨身體之大小肥瘦而異之。古人所定之骨度法。曰、從某處至某處之間。為幾尺幾寸。此名同心寸。又有以患者之拇指。與中指之端。扣成環狀（男左女右）於中指第二節之橈側。橫紋之間。定為一寸之法。名為同身寸。又曰同指寸。

凡手足尺寸及背部横寸無折法之處乃可用之其他不必混用致另就同心寸骨度法之尺度舉列於左

一、人身共長七尺五寸（自頭巔頂以至足後踵也）

二、頭之大骨周圍長二尺六寸（大骨即頭蓋骨也取頭部之横寸法準此或以目内眥至目外眥作為一寸）

三、前髮際至後髮際長一尺二寸（前髮際在眉心上三寸前際明求眉心後際明求大椎取頭部之直寸法準此也）

四、結喉以下至缺盆之中長四寸（結喉即喉頭之隆起部位即甲状軟骨缺盆即鎖骨乃天突穴處非缺盆穴也）

五、缺盆以下至髑骭之中長九寸（缺盆天突至鳩尾穴也、自天突穴至中庭穴應折作八寸四分）

六、髑骭中下至天樞長八寸（指由鳩尾至神闕穴也）

七、天樞以下至横骨長六寸五分（横骨為恥骨軟骨接合之處乃毛際也指由神闕至曲骨穴毛際處也自四至七為取胸腹之直寸法自臍心神闕穴至曲骨穴應折作五寸）

八

八、胸圍寬四尺五寸（宜以乳頭之高處測之）

九、兩乳之間寬九寸五分（應折作八寸胸腹横直尺寸法俱準此）

6

十、脊骨以下至尾骶二十一節長三尺（指由大椎穴至長強穴共長三尺上七節各長一寸四分一厘中七節各長一寸六分一厘下七節各長一寸二分六厘直寸法準此横寸宜用身寸法）

十一、腰圍寬四尺二寸（以臍之高處測之）

十二、自柱骨下腋中高不見之處長四寸（柱骨乃天柱骨也在肩骨之上頸骨之根也）

十三、腋以下至季脇長一尺二寸（季脇小肋也乃第十一肋骨之前端）

十四、季脇以下至髀樞長六寸（大腿曰股股上曰髀楗骨之下大腿之上兩骨合縫之所曰髀樞乃足少陽環跳穴處也）

十五、髀樞以下至膝中長一尺九寸（指由環跳至陽關穴也）

十六、横骨上廉下至內輔骨之上廉長一尺八寸（骨際曰廉膝旁之骨突出者曰輔骨內曰內輔外曰外輔謂由毛際至曲骨穴至陰陵泉也）

十七、內輔之上廉至下廉長三寸五分（上廉下廉者乃內輔骨之上下緣也）（可摸而得）

十八、內輔之下廉至內踝長一尺三寸（內踝俗名孤拐骨）

十九、內踝以下至地長三寸（地乃足蹠着地處）

二十、膝以下至外踝長一尺六寸

二一、膕以下至跗屬長一尺二寸（膝後曲處曰膕乃委中穴處也跗足面也跗屬者凡兩踝前後胫掌所交之處）

二二、跗屬以下至地長三寸（謂自踵至趾處也）

二三、足長一尺二寸

二四、足廣四寸五分（以足蹠之最寬處計之）

二五、肘至腕長一尺二寸五分（由肘尖至掌臂之交處乃尺澤至大陵穴也）

二六、腕至中指本節長四寸（謂由大陵至中指根近掌横紋處）

二七、本節至末長四寸五分（謂中指之長度也凡手足取寸之法俱以指同身寸為準則）

第二節　同身寸法說

同身寸者。謂同於人身之尺寸也。人之長短肥瘦。各自不同。而穴之横直尺寸。亦不能一。如今以中指同身寸法。一概混用。則人瘦而指長。肥而指短。豈不謬誤。故必因其形而取之。方得其當。如標幽賦云。取五穴用一穴而必端。取三經用一經而可正。蓋謂並隣經而正一經。聯隣穴而正一穴也。譬之切字之法。上用一音。下用一韻。而夾其聲如中。則其經穴之情。自無所遁矣。故頭必因於頭。腹必因於腹。背必因於背。手足必因於手足。總其大小長短而折中之。庶得謂之同身寸法。其法必骨度為標準。前節已詳舉之。而所謂中指同身寸法。雖不可混用。然亦常有當用之處。是亦不可槪謂無用也。

第三節 十四經脉部位分寸歌

(一)手太陰肺脉經穴歌

手太陰肺十一穴。中府雲門天府聯。俠白尺澤孔最存。列缺經渠太淵涉。魚際少商如韭葉。

去 肺脉經穴分寸歌

手太陰肺十一穴。脉起中府三肋間。上行雲門寸六許。雲在璇窌六寸巅大腸巨骨下二骨天府腋三動脉逴侠白距肘上五寸尺澤肘中約紋間孔最腕側七寸取列缺腕上寸半偏經渠寸口寻陷中太淵掌手後橫紋尖魚際節後散脉裏少商指側如韭葉。

〔註〕本經文應在肺經穴歌之前

肺經循行經文

肺手太陰之脉手太陰之脉必自足厥陰之期門穴內行循中脘起於中焦中焦當中脘之分手之三陰從藏走手皆自內而出也下絡大腸本經之絡散則下絡大腸還循胃口自大腸復上行還循胃口胃口即賁門也上膈屬肺膈膜也屬肺以交肺經而行之也從肺系肺系即肺管也橫出腋下膊之下脇之上曰腋腋下即中府之穴故謂從肺系而橫出腋下也下循臑內膊之內側上至腋下至肘嫩突白肉曰臑乃腋下之外側也行少陰心主之前也行心經之前下肘中上曰肘曲池穴以循循臂內上骨下廉曲池以下為臂骨為掌後高骨下廉骨之下側也入寸口上魚際太淵穴處即寸口也手腕之前其肥肉隆起處形如魚者統謂之魚寸之前魚之後曰魚際穴循魚際出大指之端大指端少商穴也其支者從腕後直出次指支絡脉也本經之別絡從腕後列缺穴直出次指而接手陽明經內廉出其端謂經三間二間而出指端商陽穴也

（按）本經之穴起於中府止於少商本在太淵標在天府絡在列缺募在中府井在少商榮在魚際俞在太淵經在經渠合在尺澤

（二）大腸經循行經文

大腸手陽明之脈起於大指次指之端謂食指之商陽穴也。手之三陽從手走頭循指上廉上側也出合谷兩骨之間凡經脈陽行於外陰行於內合谷在大指次指岐骨間俗名虎口上入兩筋之中腕中上側兩筋之間陽谿穴也循臂上廉入肘外廉上臑外前廉臑字見肺經上肩出髃骨之前廉髃骨在肩端骨罅即肩髃穴也上出於柱骨之會上柱骨乃天柱骨也在肩骨之上頸項之根本經由肩髃上出膀胱之天柱穴會於督脈之大椎穴陽經皆會於督脈之大椎故內經以此為會上下入缺盆絡肺自大椎而前入足陽明胃經之缺盆穴而絡於肺中下膈屬大腸下膈當臍旁天樞之分屬大腸與肺相表裡其支者從缺盆上頸貫頰入下齒中頰、耳下曲處也支者從缺盆復循本經上頸入天鼎貫頰中入於齒縫中還出挾口挾口乃口吻旁也交人中左之右右之左上挾鼻孔人中即督脈之水溝穴由人中而左右互交上挾鼻孔者行自禾髎以交迎香手陽明經止此又自由承泣穴而交接於足陽明胃經也

手陽明大腸脈經穴歌

手陽明脈起商陽，二間三間合谷詳，陽谿偏歷及温溜，上廉下
廉三里長，曲池肘髎並五里，臂臑肩髃巨骨當，天鼎扶突禾髎
接，鼻旁五分號迎香。

大腸脈經穴分寸歌

陽明廿穴屬大腸，食指内側起商陽，本節前取二間定，三間節
後陷中藏，虎口歧骨尋合谷，陽谿腕中上側詳，偏歷腕後去三
寸，温溜歷後二寸當，池下四寸取下廉，上廉池下三寸長，上廉
一寸名三里，曲池肘紋外輔當，肘髎上臑外廉近，五里大筋之
中央，肘上三寸行向裡，巨骨肩尖頂上行，天鼎喉旁橫六寸，扶
突天突三寸旁，禾髎水溝平五分，直上一寸取迎香。

〔按〕本經之穴起於商陽，止於迎香，本在曲池，標在上星，經在

9

偏歷。募在天樞。井在商陽。榮在二間。俞在三間。原在合谷。經在陽谿。合在曲池。

（三）胃經循行經文

胃足陽明之脉。起於鼻之交頞中（頞，鼻梁也，亦曰山根。足三陽脈皆從頭走足）旁納太陽之脉（納入也。足太陽起睛明穴，與頞相近，陽明由頞中互交而下行，故入之也）下循鼻外（鼻外即承泣、四白、巨髎之分）入上齒中。還出挾口（見大腸經還出挾口注）環唇下交承漿（環，遶也。承漿，任脉穴）却循頤後下廉（頷中為頤）出大迎。循頰車。上耳前（下關穴也）過客主人。循髮際（循髮際以上，頭維至額顱，會於督脉之神庭。額顱，髮際前也）其支者。從大迎前下人迎。循喉嚨。入缺盆。下膈。屬胃絡脾（脾與胃為表裏，此支自缺盆入內，下膈，當上脘中脘之分，屬胃絡脾）

其直者從缺盆下乳內廉直者由缺盆直下而至乳中之穴也挾臍入氣街中臍天樞也由乳中直下天樞外陵等穴下於氣街中氣街在毛際兩旁鼠鼷上一寸其支者起於胃口胃口幽門也當下脘穴處下循腹裏下至氣街中而合由幽門循腹裏過足少陰肓俞之外此即上文支者之脉由胃下行而與直者復合於氣街之中以下髀關抵伏兔下膝臏中膝臏即膝蓋骨也下循脛外廉脛骨曰脛下走跗中足面曰跗入中指內間其支者下廉三寸而別下廉上廉也下廉三寸謂上廉之下三寸即豐隆穴是為陽明別絡故下入中指外間陽明絡由三寸而別下入中指外間其支者別跗上入大指間出其端又其支者自跗衝陽穴次別行入大指間斜出足厥陰行間之次循大指出其端接足太陰脉絡也

足陽明胃脉經穴歌

四十五穴足陽明頭維下關頰車停承泣四白與巨髎地倉大迎下人迎水突氣舍連缺盆氣户庫房屋翳屯膺窗乳中延乳根不容承滿至梁門關門太乙並滑肉天樞外陵大巨存水道歸來太衝經髀關伏兔陰市臨梁邱犢鼻足三里上巨虛連條

口後下巨虛側取豐隆解谿衝陽陷谷分内庭厲兑終此經。

胃脉經穴分寸歌

足陽明兮胃之經四十五穴次第分頭維神庭旁四五下關耳
前動脉行頰車耳下八分陷承泣目下七分尋再下三分爲四
白巨髎鼻孔旁八分地倉夾吻四分近頷下三寸是大迎人迎
喉旁一寸半筋前迎下水突隨喉下一寸爲氣舍橫骨陷中即
缺盆氣户下行只一寸一寸六分庫房門屋翳膺窗乳中根夾
肋一穴宜認真不容巨闕旁二寸一寸承滿最梁門關門太乙
滑肉穴每穴相距一寸程天樞臍旁平二寸樞下一寸是外陵
直下一寸名大巨巨下三寸水道分水下一寸歸來穴歸下一
寸氣衝明髀關膝上尺二定伏兔膝上六寸名陰市伏兔下三
寸梁邱市下一寸真犢鼻膝臏陷中取鼻下三寸三里程里下
三寸稱上廉廉下二寸條口生再下二寸下廉穴豐隆却與上

廉平相距五分踝八寸踝旁寸陷解谿清衝陽解下高骨動陷
谷衝下二寸在内庭次指歧骨間厲兑趾端離韭葉
後、本經之穴起於頭維終於厲兑本在厲兑標在人迎絡在
豐隆、虛里募在中脘井在厲兑榮在内庭俞在陷谷原在衝
陽經在解谿合在三里

（四）脾經循行經文

脾足太陰之脈起於大指之端（脾經起足大指端隱白穴○足之三陰脈從足走腹）循指内側白
肉際過核骨後（足大指本節後之突起骨又名圓骨）上内踝前廉（孤拐骨也在足踹後之兩側處）上
踹内（與腨通用足肚也亦名腓腸）循脛骨後（足莖也在踝之上膝之下處）交出厥陰之前（本經由脛後漏谷穴
上行交出足厥陰之前即地機之分）上膝股内前廉入腹（自衝門穴入腹内行）屬脾絡胃
（自衝門入腹内行於中脘下脘之分）上膈挾咽連舌本（舌根也）散舌下（自胃
循府舍大包等穴而上行
脘上行至舌本轉散舌下而終也）其支者復胃別上膈（足太陰外行腹之四行經府舍食竇腹結等穴而散於胸中止）

交大注心中（交者自胃脘別行上膈注心中以交接手少陰經）
包

足太陰脾脈經穴歌

足太陰經脾中州隱白出今大趾頭大都太白至公孫商邱三陰交可求漏谷地機陰陵泉血海箕門衝門由府舍腹結大橫排腹哀食竇天谿留胸鄉周榮坦直上週屈如鉤大包謀

脾脈經穴分寸歌

足太陰脾廿一穴大趾內側隱白訣節後陷中求大都都後一寸太白先公孫節後陷一寸商邱內踝陷微前踝上三寸三陰交再上三寸漏谷棲膝下五寸名地機機上四寸陰陵泉血海膝臏上內廉箕門海上六寸間衝門橫骨參二端（去腹中行方四寸）直上八分府舍連府舍腹結下三寸腹結大橫寸三填大橫穴出腹哀下三寸之間平神闕橫上三寸即腹哀腹上寸半日月穴食竇乳下一肋偏上行寸六天谿棲胸鄉周榮亦相同鳩開八寸大包鮮

（按）足大陽本經之穴，起於隱白，止於大包。本在三陰交，標在脾俞、舌根。絡在公孫。大包募在章門，井在隱白，榮在大都，俞在太白，經在商邱，合在陰陵泉。

（五）心經循行經文

心手少陰之脈，起於心中。（心當五椎之下，能通五臟之氣）出屬心系。下膈絡小腸。（當臍上二寸下脘之分絡於小腸也）其支者，從心系上挾咽，繫目系。（大動脈也。支者從心系出任脈之外上行後肺系挾咽上達目系。目系之動脈神經而合於內眥）其直者，復從心系卻上肺，下腋下。（其正脈自前心系復上肺由足少陽股經淵液之分出腋下行極泉，本經之外行者始此）下循臑內後廉。（臑穴見肺經，下循臑內。臑內後廉青靈穴也）註行太陰心主之後。下肘（經肺經之後）內。循臂內後廉，抵掌之端。（手少陰經止此，乃交小指外側而接手太陽小腸經也。滑氏曰：心為君主之官，尊於他臟，故其交經受授，未假支別云）

手少陰心脈經穴歌

九穴心經手少陰。極泉青靈少海深。靈道通里陰郄穴。神門少府少衝存。

心脈經穴分寸歌

心脈九穴手少陰。腋下筋間極泉深。青靈肘上三寸覓。少海肘後五分明。靈道掌後一寸半。通里掌後一寸平。陰郄去腕五分的。神門掌後銳骨端。少府小指本節末。小指內側少衝行。

（按）心本經之穴。起於極泉。止於少衝。本在神門。標在心俞。絡在通里。募在巨闕。井在少衝。榮在少府。俞在神門。經在靈道。合在少海。

（六）小腸經循行經文

小腸手太陽之脈。起於小指之端。循手外側上腕。出踝中。（也）銳骨貞上。循臂骨下廉。出肘內側兩筋間。本經循臂骨下廉陽谷等穴出肘內側兩骨尖中小海穴也 此處接之應於小指之上 上循臑外。見腑下循臑內跋後廉。行手陽明少陽之外出肩解肩後骨縫曰肩解卽肩貞穴也繞肩胛肩解下一名肩膊乃臑俞天宗等處交肩上由秉風曲垣等穴左右交於兩肩之上會於督脈之大椎入缺盆絡心自缺盆由胸中下行入膻中絡心循咽下膈抵胃屬小腸自缺盆循咽下膈抵胃下行當臍上二寸之分屬於小腸此經之所行也其支者從缺盆循頸上頰至目銳眥卻入耳中其支行於外者出缺盆循頸中之天窗上頸後之天容由頰以入耳中之聽宮乃手太陽經止於此矣其支者別頰䪼卑顴之次也上䪼目下抵鼻至目內眥斜絡於顴交目內眥乃足太陽膀胱經之睛明也

手太陽小腸脈經穴歌

小腸經穴一十九　少澤前谷後谿藪　腕骨陽谷養老穴　支正小海外輔肘　肩貞臑俞接天宗　髎外秉風曲垣首　肩外俞連肩中俞　天窗乃與天容偶　銳骨之端上顴髎　聽宮耳前珠上走

小腸脈經穴分寸歌

太陽十九小腸穴　小指外端少澤逮　前谷本節前外側　節後橫

紋後谿接腕骨腕前骨側陷陽谷銳骨陷中眼腕上一寸養老支正外側五寸偷小海肘端離五分肩貞肩峯突起大巨骨下六脊横入腋縫平開是的訣臑會直上一寸五肩髃肩尖陷側間斜下寸天為肩髎髎下寸許臑腧滑肩胛平腋即天宗肩上臑空秉風穴斜內一寸屬曲垣胛骨旁三寸外腧接椎旁寸五肩中腧天窗耳下大筋間耳下頰筋乃天容顴下陷凹顴髎穴耳前珠旁為聽宮臑會顴髎俱附焉

(按)小腸本經之穴起於少澤止於聽宮本在養老標在睛明絡在支正募在關元井在少澤滎在前谷俞在後谿原在腕骨經在陽谷合在小海

(七)膀胱經循行經文

膀胱足太陽之脈起於目內眥上額交巔(由攢竹而上至絡卻穴左右斜行而交於巔頂之百會穴)其支者從巔至耳上角(其支者由百會旁行至耳上角過足少陽經曲鬢率谷天衝)

淺曰顖陷完骨故此穴穴者皆爲足太陽少陰之會也 其直者從巔入絡腦（自百會行通天絡却玉枕入絡於腦中也）還出別下項（自腦後出別下項由天柱而下會於督脈之陶道穴）循肩髆內（此經却循肩髆內分作四行而下）挾脊抵腰中（此二行內兩行者去脊一寸五分行十二俞等穴而抵腰中也）入循膂（夾脊之兩旁肉也）絡腎屬膀胱（自腰中入循膂絡腎前屬膀胱）其支者從腰中下挾脊貫臀入膕中（從腰中循髖骨下夾脊歷四髎穴貫臀之會陽下行承扶委陽等穴入膕中之委中尻旁大肉曰臀膝後曲處曰膕）其支者從髆內左右別下貫胛（此二行由肩髆內大杼下外兩行也左右貫去脊各三寸別行經附分魄戶等穴而下行也）挾脊內過髀樞（處）（由秩邊過髀樞會於足少陽環跳循髀外後廉去承扶一寸五分之間下行後與前之入膕中者相合）環跳穴循髀外從後廉下合膕中以下貫踹內出外踝之後循京骨至小指外側（足太陽膀胱經止此乃交於小指之下接手足少陰腎經也）

足太陽膀胱經穴歌

太陽膀胱六十七 睛明目內眥紋肉藏 攢竹眉衝與曲差 五處下

[illegible]

14

半上承光。通天絡却下玉枕。天柱後際大筋外。大杼背脊開二寸。風門肺俞厥陰當。心俞督俞下膈俞。肝膽脾胃次第量。三焦腎俞並氣海。大腸關元到小腸。膀胱中膂白環俞。各穴去脊寸半長。上次中下四髎穴。一空二空腰踝藏。會陽尾閭骨外側。附分挾脊第三行。魄戶膏肓與神堂。譩譆膈關魂門詳。陽綱意舍及胃倉。肓門志室胞肓二十椎下名。秩邊承扶臀股紋中央。直下殷門浮郄穴。委陽委中與合陽。承筋承山並飛揚。附陽崑崙僕參詳。申脈金門京骨通谷至陰小趾旁。

膀胱脈經穴分寸歌

足太陽兮膀胱經。六十七穴宜審清。內眥一分起睛明。眉頭陷中攢竹行。（眉冲直上旁神庭。）曲差神庭旁寸五。五處循後五分尋。承通絡枕共四穴。循後俱是寸半程。天柱項後髮際內。大筋外廉陷中存。由此脊中開寸半。第一大杼二風門。三椎肺俞四厥陰。五心六督七

膈論九肝十胆十一脾十二椎旁胃俞臨十三三焦十四腎氣海
俞居十五真十六大腸七關元小腸俞向十八行十九膀胱廿
中膂白環俞居廿一程四髎之穴髎爲後會陽陰尾閭骨分脊
開寸半分夾夾俞外寸半三行夫第二椎下附分穴三魄四膏
五神堂第六譩譆七膈關十屬陽綱九魂門十一意舍二胃倉
十四志室三肓門十九胞肓廿秩邊背部此行俱下循承扶臀
後股紋上直下六寸為殷門旨殷外斜上一寸曲膝得之浮郄
真委陽委中旁一寸委中膝膕隱中紋下行二寸尋合陽承筋
腨上二寸真承山腨肚離三寸外踝上七飛揚塵跗陽外踝三
寸上崑崙穴在外踝跟僕參崑下白肉際申脉踝下斜五分金
門外踝下一寸京骨適當圓骨生束骨後陷通谷前至陰小側
如韭分

（按）本經之穴。起於睛明。止於至陰。本在跗陽。標在睛明。絡在飛陽。募在中極。井在至陰。榮在通谷。俞在束骨。原在京骨。經在崑崙。合在委中。

八腎經循行經文

腎足少陰之脉。起於小指之下。斜走足心。足太陽之脉終於足小指而足少陰之脉於小指下接之斜走足心湧泉穴出於然谷之下。循內踝之後。別入跟中。以上踹內。出膕內廉。自復溜交信過足太陰之三陰交以上腨內之築賓出膕內廉之陰谷上股內後廉。貫脊屬腎。絡於督脉之長強貫脊中而後屬腎下絡膀胱。前當關元中極之分而絡於膀胱滑氏曰由陰谷上股內後廉貫脊會於長強還出於前循橫骨而上至肓俞之次臍之左右屬腎下臍至關元中極之分而絡膀胱也

其直者。從腎肓俞之分上貫肝膈。入肺中。循喉嚨。挾舌本。自肓俞上行循商曲等穴至俞府而上循喉嚨並人迎挾舌本而終其支者。從肺出。絡心。注胸中。其支者自神藏之際從肺絡心注胸中以上俞府諸穴少陰經止此而接於手厥陰也

足少陰腎脉經穴歌

少陰腎經穴廿七　湧泉然谷太谿溢　大鍾水泉通照海　復溜交信築賓堤　陰谷內踝附骨後　以上從足走至膝　橫骨大赫連氣穴　四滿中注肓俞臍　商曲石關陰都逼　通谷幽門寸半闢　步廊神封至靈墟　神藏彧中俞府畢

腎脉經穴分寸歌

足少陰腎廿七穴　足心陷中起湧泉　然谷內踝下一寸　太谿踝後交分間　大鍾跟後踵邊取　水泉谿後下一連　照海踝下四分處　復溜踝上二寸詮　交信溜開約五分　築賓溜上三寸前　陰谷膝下曲側取　橫骨大赫並氣穴　四滿中注皆一寸　中行旁開來寸邊　肓俞上行亦一寸　平臍橫開半臍　商曲石關與陰都　通谷幽門共五穴　每穴相距俱一寸　步廊神封靈墟延　神藏彧中

藏彧[illegible]

16

至俞府。鐵關二十七穴訣。

按腎本經之穴。起於湧泉。止於俞府。本在復溜、交信、照海、標在腎俞、廉泉。絡在大鍾。募在京門。井在湧泉。榮在然谷。俞在太谿。經在復溜。合在陰谷。

(九)心包絡經循行經文

心主手厥陰心包絡之脈。邪之中心皆在包絡代君火行事也以用而言則曰心主以經而言則曰心包絡

起於胸中。膻中穴也出屬心包絡。下膈歷絡三焦。包絡為心主之外衛三焦為藏府之外衛故為表裏相絡三焦有上中下故不下膈而循歷之也其支者。循胸出脇。下腋三寸。乃天池穴腋之外行者始此上抵腋下。自天池上抵腋下之天泉穴循臑內。見肺經鈙行太陰肺經少陰心經之間。入肘中。曲澤穴也下臂。行兩筋之間。掌後兩筋橫紋陷中內關大陵等穴入掌中。勞宮循中指。出其端。中衝穴而終其支者。別掌中。循小指次指。出其端。自勞宮別行無名指端而接手少陽三焦經

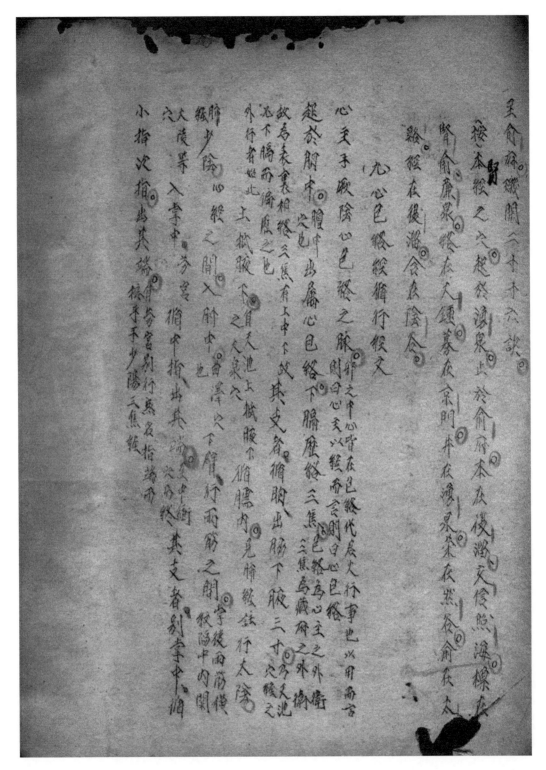

手厥陰心包絡經穴歌

厥陰九穴手心包天池天泉曲澤浪郄門間使出內關大陵勞宮中衝稍

心包絡經穴分寸歌

心包九穴手厥陰穴起天池乳後尋乳旁一寸腋下三天泉曲腋二寸臨曲澤曲肘陷中取郄門腕後五寸平間使去腕恰三寸退縮一寸內關明大陵掌後橫紋求勞宮握拳四指尋中指末稍求中衝九穴佈盡心包經

（總心包本經之穴起於天池止於中衝本在內關標在天池絡在內關募在良關井在中衝榮在勞宮俞在大陵經在間使合在曲澤

（十）三焦經循行經文

三焦手少陽之脈，起於小指次指之端（關衝穴名指也）上出兩指之間（液門
中渚穴）循手表腕（陽池穴處）出臂外兩骨之間（外關支溝二穴處）上
貫肘（天井處）循臑上肩而交出足少陽之後（循臑外行太陽之前，歷清冷淵消濼臑會
上肩髎過足少陽之肩井目天髎而交出足少陽之後）入缺盆布膻
也
中散絡心包下膈循屬三焦（其內行者入缺盆，復由足陽明之外下
布膻中散絡心包而爲表裏，乃自上焦下
膈循中焦下行交足太陽正脈入絡膀胱以約下焦，故曰
循屬三焦）其支者從膻中
上出缺盆，循天髎上項（會於督脈之大椎，循天牖）繫耳後（由翳風穴
直上耳
直上，出耳上角（在耳之上角由是過足少陽之懸釐頷厭穴下屈頰
至䪼（䪼，目下也，交頰會手太陽顴髎之處）其支者，從耳後（翳風穴）入
耳中，過手太陽之聽宮，出走耳前，過客主人（由耳門過足少陽之客
主人）
交頰，至目銳眥（其本支之別支，從耳後翳風繞入耳中，過手太陽之聽
宮，出走耳前之耳門，過足少陽之客主人，交頰循禾髎
上絲竹空至目銳眥而上會瞳子髎穴，以交足少陽經也

手少陽三焦脉經穴歌

三焦廿三手少陽關衝液門中渚旁陽池外關支溝穴會宗三陽四瀆長天井清冷淵消濼臑會肩髎天髎堂天牖翳風瘛脉青顱息角孫絲竹張禾髎耳門聽有常

三焦脉經穴分寸歌

三焦經屬手少陽二十三穴宜審詳關衝無名指外側液門小次指陷中渚液門上一寸陽池腕前表陷藏外關腕後陷二寸關上一寸支溝當外關一寸后會宗斜上一寸三陽張肘前五寸四瀆天井肘外骨後方井上一寸清冷淵消濼臑下二寸臑臑會肩端前三寸肩髎肩前陷下詳天髎鎖骨上寄部天牖池外下寸長翳風耳根後叉分瘛脉翳上一寸量顱息瘛上耆孫上角孫耳上髮下藏耳門耳前缺口處禾髎鬢銳尖下方

絲竹穴在眉梢外眉後陷中細推詳
按本經三焦之穴起於關衝止於絲竹空本在液門標在角孫絡
在外關募在石門井在關衝榮在液門俞在中渚原在陽池
經在支溝合在天井

（十一）膽經循行經文

膽足少陽之脈起於目銳眥瞳子髎穴上抵頭角下耳後目銳眥
由聽會客主人上抵頭角循頷厭下懸釐從耳後上髮際入曲
鬢率谷歷本陽明之角孫外折下耳後行天衝完骨等穴又自
完骨外折上行循本神前至陽白復內折上行循臨泣目窗等
穴由風池而下行也 循頸行手少陽之前至肩上卻交出手少陽
之後過大椎下肩井循督脈之大椎會於手太陽之秉風而入缺
前行
盆其支者從耳後入耳中宮由翳風過聽宮出走耳前至目銳眥
後 從耳聽宮轉下至聽會而達於目銳眥 其支者別銳眥下
大迎合於手少陽 而下 絲竹空和髎之次 抵於䪼下加頰車下頸合

缺盆、以下胸中◎其下於足陽明者合於下関乃自頰車下頸循本經之前與前之入缺盆者相合而下入胸中

貫膈、絡肝、屬膽◎自胸中手厥陰天池之分貫膈抵足厥陰期門之分絡肝本經日月之分屬膽而為表裏也

循脇裏、出氣街、繞毛際、橫入髀厭中◎循脇裏由足厥陰之章門下行足陽明之氣街繞毛際合於足

厥陰橫入髀厭中環跳其直者從缺盆下腋循胸過季脇◎肝經章門

穴處

下合髀厭中◎直下而行於外者從缺盆下腋循胸歷淵液輒筋日月過季脇循京門帶脈等穴下行由居髎入足太陽之四

髎下行後與前之入髀厭者相會以下循髀陽◎髀之外側出出膝外

合環跳穴也◎由髀陽而太陽陽明之中歷中瀆陽關出膝外廉下

廉下於外輔骨◎膝下兩側高骨也之前

外輔之前自陽陵泉以下直下抵絕骨之端◎出外踝之前◎循足跗

陽交等穴也

上◎入小指次指之間◎外踝上骨際曰絕骨其端即陽輔穴下懸鐘循足面上之邱墟臨泣等穴乃入小指次指之間抵竅

陰穴也

其支者別跗上入大指之間循大指岐骨內出其端還貫

爪甲出三毛◎大指次指本節後骨縫為岐骨大指爪甲後二節間為三毛

足少陽膽脈經穴歌

18

足少陽經瞳子髎四十四穴行迢迢聽會上関頷厭集懸顱懸
釐曲鬢翹率谷天衝浮白次竅陰完骨本神邀陽白臨泣目窗
妙正營承靈腦空接風池肩井與淵液輒筋日月京門標帶脉
五樞下維道居髎環跳風池接中瀆陽関陽陵泉陽交外邱光
明宵陽輔懸鍾邱墟外足臨泣下地五會俠谿小趾岐骨間竅
陰四趾外側飄

膽脉經穴分寸歌

足少陽兮膽氣高四十四穴上下迢外眥五分瞳子髎耳珠前
陷聽會牒上行半寸客主人内斜曲角頷厭投後行曲周懸顱
定顱跟懸釐半寸稍曲鬢耳前髮際後入髮寸半率谷之天衝
率微下耳輪上衝下一寸白浮飄浮下一寸頭竅陰竅後一寸完
骨潟本神神庭旁三寸陽白寸下是眉[illegible]入髮五分臨泣穴目

窗正營寸半遥承靈腦空叁寸五風池耳後髮際毛肩井缺盆
上寸半淵液腋下三寸逡輒筋後前行一寸日月乳下二肋交
臍上五分零九寸季肋寸八京門鋼京下寸八為帶脈帶下三
寸五樞維章下五三分維道維下二寸在居髎環跳髀樞宛陷
中風市垂手中指稍膝上五寸中瀆穴膝蓋外筋陽關遥陽陵
膝下外一寸外踝上七是陽交交後陽輔外邱穴踝上五寸光
明穿陽輔光下斜一寸再下一寸懸鐘絕踝下前陷在邱墟臨
泣去俠寸六為俠谿一寸地五會小次趾歧俠谿四趾外側
爪甲角韭葉之處竅陰標

胆

按本經之穴起於瞳子髎止於竅陰本在足竅陰標在聽宫
絡在光明募在日月井在足竅陰榮在俠谿俞在足臨泣原
在邱墟經在陽輔合在陽陵泉

十二　肝經循行經文

肝足厥陰之脈，起於大指叢毛之際。足大指爪甲橫紋後毛際大敦穴
上循足跗上廉，去內踝一寸。中封　去內踝一寸　上踝八寸。中都也
交出太陰之後，上膕內廉。至膝關曲泉等穴　循股陰入毛中
過陰器。股陰內側也　循股內之陰包交足陰廉上會足太陰之衝門府舍入陰毛中之急脈遂交於相交環繞陰器
而會於任脈之曲骨　抵小腹，挾胃屬肝絡膽。自陰上入小腹會於任脈之中極關
元循章門期門至期門之所　挾胃屬肝下足少陽日月之上貫
膈絡膽
膈布脇肋。自期門上貫膈行足太陰食竇之外大包之裏散布脇肋之足少陽淵液手太陰雲門之下足厥陰經穴止
此　循喉嚨之後，上入頏顙。咽顙也　連目系。目內深處　上出額，與
督脈會於巔。其內行而上者自脇肋間由足陽明人迎外循喉嚨之後入頏顙行足陽明大迎地倉四白之外內連目系上
出足少陽陽白之外臨泣之裏與督脈相會於頂之　其支者從目系
百會
下頰裏，環唇內。此支從內目系之分下行任脈之外本經之裏環於口唇之內

其支者，復從肝別貫膈，上注肺。又其支者，從前期門屬肝所行足太陰食竇之外，本經之裡，別貫膈上注於肺，下行至中焦中脘之分，復接於手太陰之肺經，以盡十二經之一週，終而復始也。

足厥陰肝脈經穴歌

一十四穴足厥陰，大敦行間太衝侵，中封蠡溝中都近，膝關曲泉陰包臨，五里陰廉羊矢下，章門遙望見期門。

肝脈經穴分寸歌

足厥陰經十四肝，大敦大趾外側端，行間大次趾縫後，太衝行後二寸半，中封內踝前一寸，蠡溝踝前五分間，中都溝上約二寸。犢下二寸為膝關，曲泉屈膝橫紋頭，膝上四寸陰包纏，陰廉去衝下二寸，急脈陰旁二五開，去臍上二橫開八，章門真穴在此間，乳下寸五橫寸半，期門妙穴理傷寒。

按本經之穴，起於大敦，止於期門，本在中封，標在肝俞，終在肝滿募在期門，井在大敦，滎在行間，俞在太衝，經在中封，合在曲泉。

(十三)任脈循行經文

任脈起於中極下，中極下會陰之分，上行而外出，循曲骨，上毛際，至中極穴。上行腹裏，同足三陰並行腹裏。循關元，關元為小腸之募，乃三陰任脈之會。上行會衝脈，深外循腹，至咽，別絡口唇承漿，靈樞五音五味篇曰：衝任二脈，皆起於胞中，上行背裏，為經絡之海，其浮而外者，循腹上行，會於咽喉，別而絡唇口，至承漿而終。過足陽明，上頤，循齦，頤中為頤，循面入目，至睛明，會督，為陰脈之海。目系承漿轉入胃絡之地倉，上繞四白、承泣，而終睛明，以會督脈，總為陰脈之海。

任脈經穴歌

任脈念四起會陰，曲骨中封關元銳，石門氣海陰交至，神闕水分下脘行，建里中脘連上脘，巨闕鳩尾蔽骨憑，中庭膻中玉堂

上紫宮華蓋旋璣衝天突結喉是廉泉唇下宛宛承漿明

任脈經穴分寸歌

任脈腹前念四穴會陰起自兩陰間曲骨穴居毛際中中極臍下四寸臍關元石門每一寸氣海寸半在丹田臍下一寸號陰交臍之中央稱神闕水分下脘與建里中上二脘及巨闕鳩尾等穴每一寸中庭膻中寸六間兩乳之中為膻中玉堂紫宮華蓋鮮璇璣諸穴俱相等天突喉下三寸前廉泉頷下喉骨尖承漿唇下陷凹完

（按）本經之穴起於會陰止於承漿終於會陰

（十四）督脈循行經文

督脈起於少腹（下）骨之中央 少腹胞宮所居也 女子入繫廷孔 廷孔言正中之直孔在橫骨之中央即溺孔也女人孔在前陰中橫骨之下孔上際謂之端乃督脈外起之所此雖言女子然男子溺孔亦在橫骨下中央循宗

筋而出䍃端也別絡自溺孔之端循陰器分行向後也合纂至後

別繞臀後之臀間也合者循陰器向後篡至會陰之間分而爲二繞行會陰

與巨陽絡太陽膀胱經少陰比少陰腎經也謂督脈繞臀後與膀胱腎脈並行也

至股內廉貫脊屬腎與膀胱腎經二脈並行循脊抵腰中而絡於腎

其直者自尻骶骨也亦名窮骨上循脊裡入腦髓交巔經喉

門腦戶以至百會過前頂下鼻抵唇宮兌端處而終其支者別

足太陽內眥睛明穴也環繞自額下項以會於衝任此三脈同起於會陰之中一原三

岐異名而同體也

督脈經穴歌

督脈中行二十七長強腰俞陽關密命門懸樞接脊中筋縮至

陽靈臺神道身柱並陶道大椎平肩二十八啞門風府腦戶

深強間後頂百會奇前頂顖會與上星神庭素髎水溝闕兌端

口上唇中央齦交唇內任督畢

督脈經穴分寸歌

督脉廿七行脊梁尾閭骨端起長强二十一椎爲腰俞十六陽
關細推詳十四命門三懸樞第十一椎脊中當十椎中樞九筋
縮七椎之鏈爲至陽六靈五神三身柱壹椎之下陶道良大椎
正在一椎上入髮五分啞門藏髮上一寸爲風府腦户適在枕
骨旁再上四寸稱强間五寸五分後頂彰百會穴懸耳尖取耳
尖直上髮中央前頂顖後一寸半星後一寸顖會量髮際一寸
上星穴五分神庭切勿忘鼻端準頭爲素髎水溝鼻下人中藏
兌端唇上兌中取齦交唇內齒縫鄉

按本經之穴起於長强止於齦交絡於長强

第四節　井榮俞原經合及募絡標本之研究

井、榮、俞、原、經、合、者。乃鍼灸術中之古法也。古人配之以五行。俾應五臟而繫之於四時。故四明陳氏曰。春氣在毛。夏氣在皮。秋氣在分肉。冬氣在骨髓。是深淺之用也。項氏曰。所出為井。所溜為榮。所注為俞。所行為經。所入為合。所過為原。皆取象水之義也。岐伯曰。春刺井者。因邪在肝也。夏刺榮者。因邪在心也。季夏刺俞者。因邪在脾也。秋刺經者。因邪在肺也。冬刺合者。因邪在腎也。然春日所病者。未必盡盡邪在於肝。而夏、秋、冬、三季。亦未必盡邪屬在脾、心、肺、腎、也。而陳氏所云之毛、皮、肉、髓。是為深淺之用。庶幾近之。但不當盡惑於春、夏、秋、冬、五行、四時、之說。如睛明瞳子髎之治目疾。聽宮聽會之治耳聾。迎香治鼻塞。地倉療口喎。此亦古人所立之法也。又何嘗根據於井榮俞原經合哉。

總之。病在上者。取諸上。病在下者。取諸下。若利用其反射誘導之作用者。則上病取下。下病取上。亦無不可也。然井滎俞原經合。實不可以盡廢也。蓋疾病之屬於急性者。宜先取之於井滎。其屬於慢性者。則求之於經合。而俞原、則隨乎病證而兼用之。此乃歷驗之法也。至於絡、募、標、本、關係亦重。如列缺之止頭痛。列缺為肺經絡於大腸之穴也。能搜風邪。肺經至中府則止矣。必藉大腸經氣以上行。方達其反射之功用。又如腸鳴泄瀉之用天樞。收效甚速。蓋以此穴為大腸之募。能調氣補虛也。故標幽賦云。臟腑病而求門海。俞募之微。乃取其誘導之作用耳。而標本云者。乃取穴治病之法也。如心經受病。必先刺神門本穴。後刺心俞標穴。乃神門有寧心解鬱之效。心俞有強心清邪之功。故古人之文法。殊有至理寓乎其中。須學者深思之。明辨之。

舉一反三，毋爲庸俗所惑。則研究此古術之真價。不高而自高矣。

第二章　各部經穴

第一節　頭蓋部

穴例
1、禁鍼穴……○
2、禁灸穴……△
3、正穴……□
4、鍼灸俱禁穴……X

（一）沿眉間中央自前頭之髮際。走頭部正中綫至後頭髮際。凡十一穴。

神庭。

解剖　有前頭筋循前頭動脈。分布前頭神經。三叉神經。

部位　由鼻直上。入髮際五分。

經脈　屬於督脈。

主治　發狂登高妄走、風癇、癲疾、角弓反張、目上視、不識人、頭風、鼻淵、流涕不止、頭痛、目淚、煩滿、喘咳、驚悸、不得安寢。

性質　清頭部之熱。驅頭部之風。

禁忌　刺之令人癲狂。目失精采。故應禁鍼。

手術　宜灸三壯。

考証　〈玉龍歌〉神庭理乎頭風。

別名　髮際。

附記　此穴為督脈、與足太陽膀胱經、足陽明胃經之會。

上星口

解剖　為前頭骨部。有前頭筋。循鼻前頭動脈。分布前頭神經之第一枝。

部位　在鼻直上入髮際一寸。距神庭五分。

經脈　屬於督脈。

主治　頭風、頭痛、頭皮腫、面虛浮、惡寒、痎瘧、寒熱、汗不出、鼻衄、鼻涕、鼻塞、不聞香臭、目眩、睛痛、不能遠視。〈宜以三稜針刺之〉

性質　清頭目鼻中熱。驅頭部之風。

手術　鍼三分。不宜多灸。多灸出血

考証　（勝玉歌）頭風眼痛。上星專。（玉龍歌）頭風鼻淵。上星可用。十三鬼穴之第十。

別名　神堂、明堂、鬼堂。

附記　千金云。鼻中息肉。可灸二百壯。一云。宜三陵鍼出血。以瀉諸陽熱氣。

顖會　囗

解剖　在前頭骨上緣。顱頂骨縫合部。帽狀腱膜中。循淺顳動脈。分布前頭神經。

部位　在上星後一寸。距神庭一寸五分。

經脈　屬於督脈。

76

主治　腦虛冷痛。頭風、腫痛。項痛、目眩。鼻塞、不聞香臭。驚癇戴目。

性質　驅風治寒。

禁忌　小兒七歲以下。顖門未合縫者。鍼灸俱禁。刺之不幸令人夭。

手術　鍼二分。灸五壯。

考証　《百症賦》顖會連於玉枕。頭風療以金鍼。《玉龍賦》卒暴中風。頂門百會。

別名　顖上、鬼門、顖門。

附記　此係險穴。初學者手術未熟。當以不鍼為妙。又千金云。邪病鬼癲。顖上主之。又神農經云。頭風生白屑多睡。鍼之彌佳。鍼訖以末鹽生麻油相和。揩髮根下。頭風永除。

前頂 口

解剖 在左右顱頂骨之合縫部。帽狀腱膜中。循顳顬動脈之前枝。及顏面靜脈之分枝。分布前額神經。

部位 在顖會後一寸五分。距神庭三寸。

經脉 屬於督脉。

主治 頭風目眩。面赤腫。小兒驚癇瘈瘲。鼻多清涕。頸項腫痛。

性質 驅風邪。

手術 鍼二分。灸五壯。

考証 〈百症賦〉面腫虛浮。須仗水溝前頂。

附記 神農經云。小兒急慢驚風。可灸三壯。艾如小麥。

百會 口

解剖　在巔頂部。帽狀腱膜中。循淺顳顬動脈。分布後頭神經。

部位　在頭頂正中央。距前頂一寸五分。距神庭四寸五分。

經脈　屬於督脈。

主治　頭風、頭痛耳聾、鼻塞、鼻衄、中風言語蹇澁、口噤不開、或多悲哭偏風、半身不遂、風癇、卒厥、角弓反張、吐沫心神恍惚、驚悸健忘、痰瘧、女人血風、胎前產後、風疾、小兒癇風、驚風、脫肛久不瘥。

性質　鎮寒清熱驅風。

手術　鍼二分。灸五壯。或多壯。

考證　《靈光賦》百會龜尾治痢疾。《席弘賦》小兒脫肛患多時。先灸百會後尾骶。又咽喉最急先百會。《玉龍歌》中風不語。最難醫。髮際頂門穴要知。更向百會明補瀉。即時甦醒免災危。（勝玉歌）頭痛暈眩百會好。（雜病穴法歌）尸厥百會一穴美。

別名　三陽、五會、巔上、天滿、泥丸宮。

附記　此穴為必要時可以放血。又此穴為督脈與足太陽膀胱經之會。又手少陽三焦經足少陽膽經足厥陰肝經。俱會於此。

後頂　□

解剖　在顱頂骨矢狀後縫合之後端部。有帽狀腱膜循後頭脉。分布大後頭神經。

部位　在百會後一寸五分。

經脉　屬於督脈。

主治　頸項強急顱顳工痛。偏頭痛惡風。目眩不明。

手術　鍼二分。灸五壯。

別名　交衝

附說　此穴之性質未明。尚待考察。凡以後未標出性質二
穿脊。均同此意。不再另註矣。

強間　△

解剖　在矢狀縫合之後端。後頭骨與顱頂骨之間。即三角縫合部帽狀腱膜中。循後頭動脈。分布大後頭神經。

部位　在後頂後一寸五分。距百會三寸。

經脈　屬於督脈。

主治　頭痛、項強、目眩、腦旋。煩心、嘔吐、涎沫、狂走。

禁忌　禁灸。

手術　鍼二分。

考証　(百症賦強間豐隆之際。頭痛難禁。

別名　大羽。

腦户　X

解剖　在帽狀腱膜中。為後頭結節之下部。循後頭動脈。分布大後頭神經。

部位　在強間後一寸五分。距百會四寸五分。居枕骨之上。

經脉　屬於督脈。

禁忌　素問云、鍼中腦立死。銅人經云、灸之令人啞。甲乙經云、刺腦之會不可灸。令人瘖。

別名　合顱。

附記　此穴為險穴。原屬禁鍼禁灸。故其主治手術。概從略不録。

風府 △

解剖 在後頭骨鱗節之下。僧帽筋間。循後頭動脈。分布大後頭神經。其深部有延髓。

部位 在項部。入後髮際一寸。距腦後一寸五分。

經脈 屬於督脈。

主治 中風舌緩。暴瘖不語。振寒汗出。身重、偏風、半身不遂、傷風、頭痛、項急、不得回顧、目眩、反視、鼻衄、咽痛、狂走、悲恐、驚悸、

性質 搜周身風邪。清胸中四肢之熱。

禁忌 甲乙經云。灸之令人失音。故應禁灸。

又從來風府最難鍼。還用功夫度淺深。倘若膀胱氣

末發更宜三里穴中尋

手術　鍼三分

考証　《席弘賦》風府風池尋得到，傷寒百病一時消。又陽明二日尋風府。《通玄賦》傷風項急求風府。《肘後歌》腿腳有疾風府尋。

別名　舌本、鬼枕、鬼穴、曹谿、

附記　此穴内有延髓，不宜深刺，過深殺人。又此穴為督脈陽維之會。

瘂門　△

解剖　僧帽筋起始部，有項靭帶，橫頸動脈，分布頸根肩胛神經之後枝。其部有延髓。

部位　入後髮際五分。

30

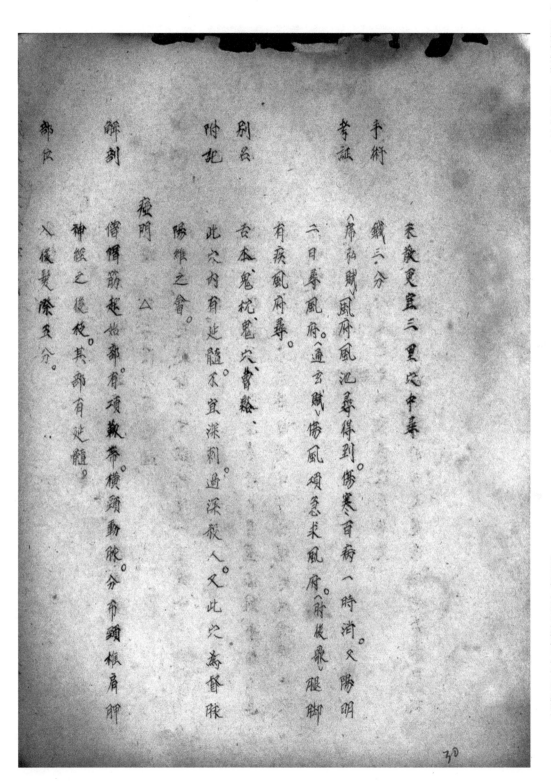

經脈　屬於督脈。

主治　頸項強急不語。諸陽熱氣。衄血不止。脊強反折。瘈瘲癲疾。頭風疼痛。汗不出。寒熱。風痙中風。尸厥。暴死不省人事。

性質　瀉熱祛風。

禁忌　灸之令人啞。故應禁灸。

手術　鍼二分。

考證　百症賦、啞風關衝。舌緩不語而要緊。

別名　舌横、舌文、舌厭、瘖門。

附記　此穴內有延髓。不宜深刺。過深殺人。又爲督脈陽維之會。入系舌本。故禁灸。灸之令人啞。

督冲　口

解剖　有前頭筋。前頭動脉。顏面神經之顳顬枝。

部位　在攢竹直上。入髮際五分。去神庭旁五分。

經脉　屬足太陽膀胱經。

主治　目不明、目眩、目重、頭痛、鼻塞不聞香臭。

手術　鍼二分。灸三壯。

(二)沿眼之内背。自前頭髮際。距頭之正中綫外側一寸五分。居正中綫外第一行。並行於正中綫。至頭部綫止、凡七穴。

曲差　口

解剖　為前額骨部。有前頭筋。前額動脉。顏面神經之顳顬枝。

部位　在眉頭直上。入髮際約五分。去神庭旁開一寸五分。

經脉　屬於足太陽膀胱經。

主治　目不明、頭痛、鼻塞、鼽衄、鼻淵、頂巔痛、心煩身熱、汗不出。

手術　鍼二分。灸三壯。

別名　鼻衝。

・五處　△

解剖　有前頭筋。前額動脈、顏神經。

部位　在曲差後五分。上星旁開一寸五分。

經脈　屬足太陽膀胱經。

主治　脊強反折。瘈瘲癲疾、頭痛戴眼。眩暈、目視不明。

禁忌　銅人禁灸。或不宜灸。

手術　鍼二三分。

承光　△

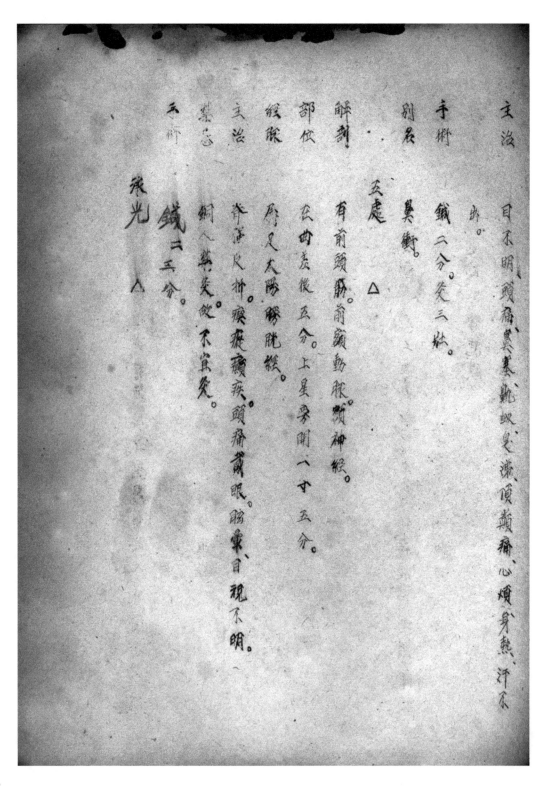

解剖　爲帽狀腱膜部。有顳顬骨。顳顬動脈。分布顏面之顳顬神經。

部位　在五處後一寸五分。距曲差二寸分。二寸

經脈　屬足太陽膀胱經。

主治　頭風、風眩、嘔吐、心煩、鼻塞不利、目瞖、口喎、

禁忌　鍼灸經云不可灸。或應禁灸。

手術　鍼二三分。

通天　口　常用

解剖　爲後頭筋之上部，有顳顬骨。顳顬動脈。大後頭神經。

部位　在承光後一寸五分。距百會横開一寸五分。

經脈　屬足太陽膀胱經。

主治　頭旋、項痛不能轉側、鼻塞、偏風、口喎、衄血、頭重、耳鳴、

狂走、癲癇、恍惚、目青盲、内障。

性質 能泄在表風邪。

手術 鍼三分灸三壯。

考証 《百症賦》通天去鼻内無聞之苦。

別名 天臼。

附記 千金云。癭氣面腫灸此穴五十壯。

絡却 ○

解剖 此為後頭骨頭頂連接處。有後頭筋。後頭大動脈。大後頭神經。

部位 在通天後一寸五分。

經脈 屬足太陽膀胱經。

主治 頭旋、口喎、鼻塞、項腫、癭瘤、内障、耳鳴、

禁忌　銅人云。禁鍼。故不宜鍼。

手術　灸三壯。

別名　強陽。腦蓋。

玉枕　口

解剖　有後頭筋。後頭動脈。大後頭神經。

部位　在絡却後一寸五分。去腦户旁一寸三分。

經脉　屬足太陽膀胱經。

主治　目痛如脫。不能遠視。腦風頭項痛、鼻塞無聞。

手術　鍼二三分。灸三壯。

考証　〈百症賦〉顖會連於玉枕。頭風療以金鍼。

天柱　ㄙ

解剖　為後頭骨項內側。有僧帽筋、有後頭動脈。與後頭神經。

部位　在項之後部髮際。大筋外廉之陷中。去中行風府七分。

經脈　屬足太陽膀胱經。

主治　頭旋腦痛、鼻塞淚出、項強、肩背痛、足不任身、目瞑不欲視。

性質　理氣之上逆於頭者。

禁忌　素註言鍼不言灸。故禁灸。

手術　鍼三分。

考証　《百症賦》目覺䀮䀮。急取養老天柱。《又》項強多惡風。束骨相連於天柱。

(三)　沿眼之瞳孔。自前頭髮際頭部正中線外側三寸。居中綫外側之第二行。上至項後第髮際。凡六穴。

臨泣 △

解剖 有前額筋。循眼窩動脈。分布上眼神經。及顏面神經之顳顬枝。

部位 在瞳孔直上。入髮際五分。

經脉 属足少陽膽經。

主治 鼻塞、目眩、生翳、眵矇、冷淚、眼目諸疾、驚癇、反視、卒暴中風、不識人、脇下痛、瘧疾、日西發

性質 清邪熱。

禁忌 銅人言鍼不言灸。故禁灸。

手術 鍼三分。

考証 （百症賦）淚出刺頭維臨泣之處。

34

附記　此穴為足太陽膀胱經、足少陽胆經、與陽維脈、三脈之會。

目窗　□

解剖　在顱頂部帽状腱膜中。有淺顳顬動脈之分枝。分布上眼瞼神經。顏面神經。

部位　在臨泣後一寸。

經脈　屬足少陽胆經。

主治　頭目眩痛、引外眥、遠視不明、目腫、寒熱、汗不出、

手術　鍼三分，灸五壯。

別名　至榮。

附記　此穴為足少陽胆經與陽維脈之會。

正營　□

解剖　在顳頂帽狀腱膜中。循後頭動脈之分枝。分布上眼窩神經。有顏面神經枝。

部位　在目窗後一寸。

經脈　屬足少陽膽經。

主治　頭痛、目眩、齒齲、痛、唇、吻強急、

手術　鍼三分。灸三壯。

附記　此穴為足少陽膽經與陽維脈之會。

承靈　○

解剖　在顳顬筋之後方。有帽狀腱膜。循淺顳顬動脈之分枝。分布大後頭神經。

部位　在正營後一寸五分。

經脈　屬足少陽膽經

主治　腦風、頭痛、鼻塞不通、惡風、

禁忌　鍼灸經云。禁鍼。故不鍼。

手術　灸五壯。

附記　此穴為足少陽胆經與陽維脈之會。

腦户

解剖　在後頭結節之外側後頭筋部。即帽狀筋附着之上部，有後頭動脈及後頭神經。

部位　在承靈後一寸五分。玉枕骨之下陷中。

經脈　屬足少陽胆經

主治　瘈瘲、身熱、癲癇、腦風、頭痛、不可忍、項強、不得顧、目眩、鼻衄、耳聾、驚悸、癲風、鼻痛、

性質　驅風泄熱。

手術　鍼四分。灸五壯。

考証　昔魏公患頭風。發即心亂。目眩。華佗刺此立愈。

別名　顳顬

附記　此穴爲足少陽膽經與陽維脈之會。

風池　口

解剖　當後頭骨下部之陷凹處。僧帽筋之外側。有後頭神經與動脈。

部位　在顳顬之後部。後髮際之陷凹處。

經脈　屬足少陽膽經

主治　中風、偏正頭痛、傷寒熱病、汗不出、痎瘧、頸項如拔、痛、不得回顧、目眩赤痛、淚出、鼽衄、耳聾、腰背俱痛、傴僂引項、筋力不收、腳弱無力、

36

性質　驅外感風邪。

手術　鍼四分。灸三壯。

參証　《勝玉歌》頭風頭痛灸風池。《席弘賦》風府風池尋得到。傷寒百病一時消。《通玄賦》頭暈目眩要覓於風府。《捷徑》治溫病煩滿、汗不出。

別名　熱府

附記　此穴為足少陽膽經與陽維脈之會。又千金云。治癭氣可灸百壯。

(四)沿眉後之顳顬部上行。居正中綫之第三行。自前陰而達後際。並沿耳際。凡十七穴。

本神　口

解剖　有前頭肌。當顳顬動脈之前枝。及上眼窩動脈。分布三叉神經。

部位　在目直上入髮際五分。去曲差旁一寸五分。

經脈　為足少陽膽經

主治　驚癇、吐沫、目眩、項強、急痛、胸脇相引、不能得轉側、偏風癲疾、

手術　針三分。灸三壯。

考証　（百症賦）癲疾必身柱本神之令。

附記　此穴為足少陽膽經與陽維之會。

天衝　□

解剖　有耳上擧筋。循耳後動脈。分布顏面神經之顳顬枝。

部位　在耳尖上入髮際二寸。距率谷後約三分。距本神約三寸五分。

31

經脈　屬足少陽膽經

主治　瘈瘲、風痙、牙齦腫、驚恐、頭痛、

手術　鍼三分。灸三壯。

附記　此穴為足太陽膀胱經與足少陽膽經之會。

浮白　口

解剖　有耳上擧筋。側耳及動脈。分布顏面神經之顳顬枝。

部位　在耳下入髮際一寸。由耳尖直上一寸。向後橫開一寸之間。

經脈　屬足少陽膽經

主治　欬逆、胸滿、喉痺、耳聾、齒痛、項癭、痰沫、不得喘息、肩臂不舉、足不能行、

手術　鍼三分。灸三壯。

附記　此穴為足太陽膀胱經與足少陽膽經之會

竅陰　□

解剖　在顱頂骨顳顬骨後頭骨三骨縫合部。有耳後動脈。耳後神經。

部位　在浮白下一寸。距顱顖横後約八分。

經脈　屬足少陽膽經。

主治　四肢轉筋、目痛、頭項痛、耳鳴、癰疽、發熱、手足煩熱、汗不出、欬逆、喉痹、舌強、喉痛、口苦、

手術　鍼三分。灸三壯。

別名　枕骨

附記　此穴為足少陽膽經與足太陽膀胱經之會

完骨　□

解剖　在附錯乳嘴筋附着之上部。有耳後動脉。與耳後神經。

部位　在耳後之中央部。入髮際四分。

經脉　屬足少陽膽經。

主治　頭風、頭痛、耳鳴、齒齲、牙車急、口眼喎斜、喉痺、頰腫、瘿氣、便赤、足痿不收。

手術　鍼三分。灸三壯。

附記　此穴為足太陽膀胱經與足少陽膽經之會

天牖　△

解剖　在顳顬骨乳嘴突起之後。下部附錯乳嘴筋停止部之後緣。有後頭動脉之分枝。分布小後頭神經。及頸椎神經。

部位　於頸大筋外。缺盆上。天容後。風池前。完骨下。髮際中。
上夾後一寸。

經脈　屬手少陽三焦經

主治　面腫頸風頸項強不得回顧

禁忌　銅人經云、灸之令人面腫眼合。不宜補。亦不宜灸。故
應禁灸。

手術　鍼一寸

附記　此穴若誤灸、即面腫眼合。急先取譩譆。後鍼天牖風
池、其病即瘥。

頸維　△

解剖　在前頸與斷項骨合縫部。有前頸筋、循顳顬動脈之
前枝。分布頸部神經之鎖骨枝。

39

部位　在額之髮際上去神庭旁四寸五分。本神旁一寸五分。直對承泣微高些。

經脈　屬足陽明胃經

主治　頭風、頭痛如破、目痛如脫、淚出不明、視力缺乏、

性質　散熱驅風。

禁忌　素註禁灸、故不灸。

手術　鍼三分。

考証　（百症賦）淚出刺臨泣頭維之處。（玉龍歌）眉間疼痛苦難當。攢竹沿皮刺不防。若是頭風並眼重。更鍼頭維即安康。（玉龍賦）攢竹頭維、治目疼頭痛。

附記　此穴為足少陽膽經與足陽明胃經之會

承泣　口

解剖　在顳顬筋中。有耳上擘筋。耳後動脈。

部位　在耳上、入髮際一寸五分。

經脈　屬足少陽膽經。

主治　腦痛、兩額角痛、胃脘寒痰、煩悶、嘔吐、酒後皮風膚腫、

手術　鍼三分。灸三壯。

附記　此穴為足太陽膀胱經、足少陽膽經之會。如小兒急慢驚風。可灸三壯。炷艾如小麥。

頷厭　□

解剖　在前頭與顱頂骨縫合部。顳顬筋中。有淺顳顬動脈。分布顏面神經之顳顬枝。

部位　在額角之下顳顬上廉。頭維下一寸處。距曲角髮際約三分。

40

經脉　爲足少陽膽經

主治　頭風、偏頭頸項俱痛、目眩、耳鳴、多嚏、驚癇、歷節風、汗出、

禁忌　不可深刺

性質　驅頭面風邪

手術　鍼一二分。灸三壯。

參証　（有症時）懸顱領厭之中。偏頭痛止。

附記　此穴係手太陽小腸經、足少陽膽經、足陽明胃經、三脉之會。

懸顱　口

解剖　爲前頭骨之顳顬窩部。有顳顬筋、顳顬動脉、分布顏面神經之分枝。

部位　額角之下。顳顬之中。頷厭穴下約六分許。與眉稍平。入髮際二分處。

經脈　屬足少陽胆經。

主治　頭痛、齒痛、偏頭痛引目。熱病汗不出。

禁忌　刺深令人聾。

手術　鍼二分。灸三壯。

考証　（百証賦）懸顱頷厭之中。偏頭痛止。

別名　髓孔。

附記　此穴為足少陽胆經與足陽明胃經之會。

懸釐　□

解剖　在顳顬筋中。循淺顳顬動脈。分布顏面神經之顳顬枝。

41

部位　在懸顱下五分髮際中。與上耳根平行。

經脈　屬足少陽胆經。

主治　偏頭痛。面腫。目銳眥痛。熱病心煩。汗不出。

禁忌　刺深令人耳無聞。

手術　鍼二分。灸三壯。

附記　此穴為手少陽三焦經。手陽明大腸經。足少陽胆經。足陽明胃經。四脈之會。

和髎　△

解剖　耳前筋起始部。循淺顳顬動脈。分布顏面神經之顳顬枝。

部位　在耳前銳髮下。動脈應手處。

經脈　屬手手少陽三焦經。

主治　頭痛耳鳴。牙車引痛。頸項腫。口噤瘈瘲。
禁忌　明堂禁灸。欲不灸。
手術　針三分。
附記　手少陽三焦經。手太陽小腸經。足少陽胆經。三脈之會。

曲鬢　四

解剖　在顳顬筋中。循顳顬動脈。分布顏面神經之顳顬枝。
部位　在耳上前髮際陷中。
經脈　屬足少陽胆經。
主治　頷頰腫。引牙車不得開。口噤不得言。項強不得顧。頭角痛。巔風目眇。
手術　鍼二分。灸三壯。
別名　曲髮。

附記　此穴爲足太陽膀胱經與足少陽胆經之會。

角孫　○

解剖　在顳顬筋中。循顳顬動脈。耳前動脈。分布淺顳顬神經。

部位　在耳廓中間之上髮際下。

經脈　屬手少陽三焦經。

主治　目生翳。齒齦腫不能嚼。唇吻燥。頸項强。

禁忌　銅人言灸不言鍼。故禁鍼。

手術　灸三壯。

附記　此穴爲手太陽小腸經。手少陽三焦經。足少陽胆經。三脈之會。又此穴亦堪治耳齒之病。

顱息　△

解剖　有顳顬筋。耳後動脈。顏面神經之耳後枝。

部位　耳翼之後上部。青絡脈中。距角孫八分髮際內，

經脈　屬手少陽三焦經。

主治　耳鳴喘息。小兒嘔吐。瘈瘲。驚恐發癇。身熱頭痛不得臥。

禁忌　刺深出血多。能殺人。又禁灸。

手術　鍼此絡脈一分微出血。

考証　（百証賦）痙病非顱息而不愈，

別名　顱顖

瘈脈　△

解剖　有顳顬筋。耳後動脈。顏面神經之耳後枝。

部位　在正對耳珠處之髮際中。青絡脈上。

經脈　屬手手少陽三焦經。

主治　頭風耳鳴。小兒驚癇瘈瘲。嘔吐瀉痢無時。驚恐目澀多眵。

禁忌　銅人不言灸。故禁灸。

手術　鍼一分。出血如豆汁。

別名　資脈。

翳風　口

解剖　此處為耳下腺部。有耳後動脈。分布大耳神經。當顏面神經之耳下腺叢。

部位　在耳根後。距耳約五分之陷凹處。按之引耳中痛。

經脈　屬手少陽三焦經。

主治　耳聾。口眼喎斜。口噤不開。脫頷頰腫。牙車急痛。暴瘖不能言。

手術　鍼三分。灸三壯。

考証　（百証賦）耳聾氣閉。全憑聽會翳風。

附記　此穴手少陽三焦經。與足少陽胆經之會。入耳紅腫痛瀉之。耳虛鳴補之。

第二節　顏面部

（一）前額部凡三穴

攢竹　△

解剖　有皺眉筋。循鼻前動脈。分布前頭神經。上眼窩神經。

部位　在眉頭之陷凹中。

經脈　屬足太陽膀胱經。

主治　目視䀮䀮。淚出目眩。瞳子癢。眼中赤痛。煩熱面痛。角膜白翳。夜盲。

44

性質　可宣泄熱氣。能使眼目大明。

禁忌　鍼灸經禁灸。故不灸。

手術　鍼半分。

考証　（玉龍歌）眉間疼痛苦難當。攢竹沿皮刺不防。若是眼昏皆可治。更鍼頭維即安康。（通玄賦）腦昏目赤。瀉攢竹以偏宜。（玉勝歌）目內紅腫苦皺眉。絲竹攢亦堪醫。（百証賦）目中瞙瞙。即尋攢竹三間

別名　始光。員柱。夜光。光明。

附記　明堂云。可用細三稜鍼刺之。令出微血。

陽白　口

解剖　在前頭筋中。循上眼窩動脈。分布上眼窩神經。顏面神經。

部位　在眉毛上一寸。與瞳子直對。

經脈　屬足少陽胆經。

主治　頭痛。目昏多眵。夜盲。背寒慄。重衣不得溫。

手術　鍼二分。灸三壯。

附記　甲乙經曰。此穴爲足少陽胆經。與陽維脈之會。又氣府論王氏註曰。此穴爲足陽明胃與陰維脈之會。

絲竹空 △

解剖　有前頭神經。顳顬動脈枝。顏面神經。

部位　在眉尾陷中。

經脈　屬手少陽三焦經。

主治　頭痛。目赤目眩。視物䀮䀮。拳毛倒睫。風癇戴眼。發狂。吐涎沫。偏正頭風

性質　能清頭目熱氣風邪。

禁忌　銅人經禁灸灸之不幸。令人目小及盲。故應禁灸。

手術　鍼三分。

考証　（勝玉歌）目內紅腫苦皺眉。絲竹攢竹亦堪醫。（百証賦）耳門絲竹空。住牙疼于頃刻。（通玄賦）絲竹療頭痛難忍。（另）凡治頭風宜出血。

別名　巨窌。目髎。

附記　甲乙經曰。此穴為足少陽胆經之脈氣所發。一云手少陽三焦足少陽胆經之脈氣所發。

（二）沿顏面之正中。自鼻尖至頦領。凡五穴。

素髎　△

解剖　在鼻軟骨之尖端。有鼻外神經。分岐口角動脈。

部位　在鼻端準頭上

經脈　屬于督脈。

主治　鼻中瘜肉不消。喘息不利。多涕。喎僻。鼻瘡。鼻塞。衄血。

禁忌　素問言鍼不言灸。故不灸。

手術　鍼一分。

別名　面王。

附記　此穴治酒酢風。可用細三稜鍼出微血。

水溝　(四)

解剖　在口輪匝筋中。循上唇動脈。及外頸動脈之分枝。分布顏面神經。及下眼窩神經。

部位　在鼻下溝之中央。近鼻孔陷中。

16

經脈　屬于督脈。

主治　中風口噤牙關不開。卒中惡邪。不省人事。癲癇卒倒。消渴多飲水。水氣遍身浮腫。痼疾口眼喎斜。

性質　能驅頭面風邪。開關利竅。

手術　鍼三分。留六呼。得氣即瀉。灸三壯至七壯。炷艾如小麥。然灸不及鍼效。

考証　(玉龍歌)人中委中。除腰脊痛閃之難制。(又)大陵人中頻瀉。口氣全除。(百証賦)面腫虛浮。須仗水溝前頂。(靈光賦)水溝間使治邪癲。

別名　鼻人中。鬼宮。鬼客廳。鬼市。人中。急驚急針慢驚可灸

附記　若風水面腫。針此一穴出水盡即愈。神農經云。小兒急慢驚風。可灸三壯。炷艾如小麥。此穴為督脈與手陽明大腸經。足陽明胃經之會。

兑端 △

解剖　在口輪匝筋部。循行上唇冠狀動脈。分布顏面神經之頰枝。及下眼神經。

部位　在上唇之端。

經脈　屬于督脈。

主治　癲癇吐沫。齒齦痛。消渴。衄血。口噤。口瘡。臭不可近。舌乾。唇强。

禁忌　治療言鍼不言灸。經脈圖考言可灸三壯。當應症酌用。

手術　鍼二分。

附記　甲乙經云。此穴爲手陽明大腸經。與足陽明胃經二脈氣之所發。

齦交 △

解剖　在上顎骨齒槽突起之粘膜部。有口冠狀動脈。三叉顏面神經。前上齒槽神經。

部位　在唇內上齒齦縫筋中。

經脈　屬于督脈。

主治　面赤心煩痛。鼻生瘜肉不消。頭額中痛。頸項強。目淚多眵赤痛。牙疳腫痛。小兒面瘡。內眥攣癢。角膜白翳。

禁忌　治療言鍼不言灸。經脈圖考云。可灸三壯。宜酌用之。

手術　逆上針三分。

考証　（百証賦）鼻痔必取齦交。

附記　此穴爲任督二脈之會。

承漿 口

解剖　為下顎骨部。頤筋之中間。循下唇之動脈。口冠狀動脈。顏面神經。三叉神經。下顎皮下神經。

部位　在下唇下之中央陷中。

經脈　屬于任脈。

主治　偏風半身不遂。口眼喎斜。口禁不開。暴瘖不能言。面腫消渴。飲水不休。口齒疳蝕生瘡。中風癲癇。

性質　能宣通血脈。並驅風邪。

手術　開口取之。鍼二分。灸三壯。

考証　（百證賦）承漿瀉牙疼而即移。（通玄賦）頭項強。承漿可保。

附記　治暴瘖不言。刺三分。徐徐引氣而出。千金云。小兒唇緊灸三壯。此穴為足陽明胃經。與任脈之會。又治任脈為病。其苦內結。男子為七疝。女子為瘕聚。又凡灸此穴艾炷不必太。但令當脈。即能愈疾。

(三)沿眼之內眥方向。至下方綫。居正中綫之第一行。凡三穴。

睛明 △

解剖 在眼輪匝筋中。有內眼瞼靱帶。循內眥動脈。分布三叉神經第一枝之滑車上神經。

部位 在目眥外角一分宛宛中。

經脈 屬太陽膀胱經。

主治 目痛視不明。迎風流淚。胬肉攀睛。白翳眥癢。雀眼夜盲。頭痛目眩。

性質 宣散風邪。

禁忌 鍼灸經禁灸。故不能灸。

手術　鍼一二分。

考証　（百証賦）雀目肝氣。睛明行間而須推。（靈光賦）睛明治眼胬肉攀（席弘賦）睛明治眼未效時。合谷光明安可缺。

別名　泪孔。淚空。

附記　此穴為手太陽小腸經。足太陽膀胱經。足陽明胃經。與陰蹻脈陽蹻脈五脈之會。

凡治雀目者。可久留鍼而速出之。

迎香　△

解剖　在鼻翼下掣筋中。循下眼窩動脈。分布顏面神經。及三叉神經之枝別。下眼窩神經。

部位　在鼻孔旁五分。禾髎稍斜上一寸。

49

經脈　屬手陽明大腸經。

主治　鼻塞不聞香臭。瘜肉。多涕有瘡。衄血。喘息不利。偏風喎斜。浮腫。風動面癢狀如蟲行。

性質　利氣袪風。

禁忌　鍼灸經禁灸。甲乙經言鍼不言灸。故禁灸。

手術　鍼二三分。

考證　(玉龍歌)不聞香臭從何治。迎香二穴可堪攻。(席弘賦)耳聾氣閉聽會針。迎香穴瀉功如神。

別名　衝陽

附記　此穴為手陽明大腸經與足陽明胃經之會。

禾髎　△

解剖　在上顎骨犬齒窩部。鼻翼下掣筋起始處。有下眼窩動

部位　脈及顏面靜脈。分布三叉神經之第二枝。下眼窩神經枝等。

經脈　直鼻孔下。夾水溝旁五分。屬手陽明大腸經。

主治　尸厥。口不能開。鼻瘡瘜肉。鼻塞鼽衄。甲乙經言鍼不言灸。銅人經禁灸。故禁灸。

手術　鍼二三分。

考證　（靈光賦）兩鼽鼻衄鍼禾髎（雜病穴法歌）衄血上星與禾髎。

附記　此穴爲手陽明大腸經與足陽明胃經之會。

（四）沿眼之瞳孔方向。至下方線。居正中線之第二行。凡四穴。

承泣　X

解剖　在眼窩之下沿。上顎骨部。眼輪匝筋中。有下眼窩動脈。下眼窩神經。其下側有半月狀骨。（顴骨）

部位　在目下七分。與瞳子直對成一線。

經脈　屬足陽明胃經。

禁忌　銅人禁鍼宜灸。明堂宜鍼禁灸。資生經云。不鍼不灸。故應鍼灸俱忌。

別名　面髎。鼷穴。

附記　此穴為陽蹻脈任脈與足陽明胃經。三脈之會。又此穴乃禁鍼禁灸之穴。故其主治性質、手術、等。概不列入。

四白 △

解剖　亦為上顎骨部。方形上唇筋中。有下眼窩動脈。下眼當神經。

部位　在目下一寸。距承泣三分。

經脈　屬足陽明胃經。

主治　頭痛目眩。目赤生翳。瞤動流淚。眼瞼瘻癢。口眼喎僻不能言。

禁忌　甲乙經云禁灸。又若刺深。即令人目烏色。

手術　鍼二分。

解剖　當齒齦部。方形上唇筋中。顴骨之下。有下眼窩動脈。下眼窩神經。

巨髎　△

部位　在鼻孔旁八分。距四白七八之間。直對瞳人。

經脈　屬足陽明胃經。

主治　瘈瘲。唇頰腫痛。口喎。目障青盲無見。遠視䀮䀮。面風鼻腫。腳氣膝脛腫痛。近視角膜炎。

禁忌　甲乙經言鍼不言灸。故禁灸。

手術　鍼三分。

附記　此穴為陽蹻脈與足陽明胃經之會。由此入上齒中復出循地倉而行。

地倉　口

解剖　在口輪匝筋部。有上下口唇冠狀動脈。分布顏面神經。三叉神經。

部位　夾口吻旁四分。

經脈　屬足陽明胃經。

主治　偏風口眼歪斜。牙關不開。齒痛頰腫。目不得閉。失音不語。飲食不收。水漿漏落。眼瞤動。遠視䀮䀮。昏夜無見。

性質　能舒頭面之筋。殺腹內之蟲。

禁忌　凡灸此穴。炷艾宜小。若過大則口反喎。即灸承漿便愈。

手術　鍼三分。灸七壯或二七壯。

考証　(玉龍賦)頰車地倉穴。正口喎于片時。(靈光賦)地倉能止口流涎。(肘後歌)蟲在臟腑食肌肉。須要神鍼刺地倉。(雜病穴法歌)口噤喎斜流涎多。地倉頰車仍可舉。(玉龍歌)口眼喎斜最可嗟。地倉妙穴連頰車。

別名　會維

52

附記　此穴爲手陽明大腸經。及足陽明胃經。與任脈陽蹻脈。四脈之會。

（五）沿目外眥之方面。至下方綫。居正中綫之三行。凡二穴。

童子髎 △

解剖　在顴骨突起關節部之後際。眼輪匝筋中。有顴骨眼窩動脈。顏面神經。三叉神經。

部位　在目外去眥五分。

經脈　屬少陽胆經。

主治　頭痛目癢。外眥赤痛。青盲目翳。遠視䀮䀮。淚出多眵。下顎脫臼。耳鳴耳聾。

禁忌　銅人經云不灸。故禁灸。

手術　鍼三分。

别名　太陽。前關。後曲。

附記　此穴為手太陽小腸經。手少陽三焦經。足少陽胆經。

三脈之會。

顴髎 △

解剖　在顴骨筋之起始部。有下眼窩動脈。三叉神經第二枝之下眼窩神經

部位　在面鳩骨下廉銳骨端陷中。即顴骨結節下陷凹處。

經脈　屬手太陽小腸經。

主治　口喎。面赤目黄。眼瞤不止。䪼腫齒痛。

禁忌　經脈圖考云禁灸。銅人素註。俱言鍼不言灸。故禁灸。

手術　鍼三分。

考証　(百証賦)目眩兮。顴髎大迎。

53

別名　兑骨。

附記　此穴為手少陽三焦經、與手太陽小腸經之會。

(六)自耳前當下顎關部。凡四穴。

上關 ○

解剖　在顳顬骨與顴骨及蝴蝶骨之三骨關節部。有顳顬筋。內顎動脈顏面神經。

部位　在耳前起骨上廉。開口有空。即顴骨橋之上口。

經脈　屬足少陽胆經。

主治　風牙疼痛。牙車不開。口噤。偏頭痛。口眼喎斜。耳鳴耳聾。眩暈。青盲。

禁忌　鍼灸治療學鍼灸俱禁。銅人云。鍼刺深則交脈破。為內漏耳聾。本篇曰。刺之則呿不能欠。鍼灸經曰。上關

手術　不深。若深令人得欠不得欬。各書多不言鍼灸。惟鍼灸經云。鍼一分。灸七壯。艾炷如筋頭大。必須側卧張口取穴。並宜避風。

別名　上關。客主。

附記　此穴為手太陽三焦經。足少陽胆經。足陽明胃經。三脈之會。

下關　△

解剖　在顴骨弓狀下端。有咀嚼筋。顏面神經。外顆動脈。

部位　在耳前動脈下廉。客主人之下。相距約一寸四五分間。合口有空。張口則閉。

經脈　屬足陽明胃經。

主治　偏風口眼喎斜。耳鳴耳聾。或痛癢出膿。失欠牙關牙

14

關脫臼。

禁忌　銅人禁灸。鍼灸經云。下關不得久留鍼。若久留鍼。令人得款不得欠。牙關急。

手術　鍼三分。勿久留鍼。

附記　此穴為足陽明胃經與足少陽胆經之會。

大迎　口

解剖　在下顎骨部。當第二大臼齒之下。有咬嚼筋。外顎動脈。顏面神經。

部位　在曲頷前一寸三分。居頰下骨陷凹中。

經脈　屬足陽明胃經。

主治　風痙口瘖。中風口噤不開。唇吻瞤動。頰腫牙痛。舌強不能言。目痛不能開。口喎數欠。風壅面腫。寒熱瘰癧。

性質　驅頭部之風邪。

手術　鍼三分。灸三壯。

考証　（百証賦）目眩兮。顴髎大迎。（勝玉歌）牙顋疼緊大

迎前。

別名　髓孔。

頰車　口

解剖　為下顎骨部。居隅角之前上方咬筋存在處。有外顎

動脈。咬嚼筋神經。顏面神經。

部位　在耳下曲頰上端。近前陷中。距耳下約一寸。

經脈　屬足陽明胃經。

主治　中風牙關不開。失音不語。口眼歪斜。頰腫牙痛。不可

嚼物。頸項不得回顧。半身不遂。

55

性質　祛風邪。

手術　鍼三分。灸三壯或至七七壯。炷艾如小麥大。

考証　（百証賦）頰車地倉穴。正口喎于片時。（玉龍歌）口眼喎最可嗟。地倉妙穴連頰車。（勝玉歌）瀉却人中及頰車。治療中風口吐沫。（雜病穴法歌）口噤喎斜流涎多。地倉頰車仍可舉。（又）牙風面腫頰車神。

別名　機關。曲牙。鬼牀。

（七）耳之前際下際凡三穴。

耳門　口

解剖　在顳顬筋部。有咀嚼筋。顳顬筋。顳顬動脈。顳顬神經。

部位　在耳前起肉。當耳缺處陷中。

經脈　屬手少陽三焦經。

主治　耳鳴耳聾。聤耳膿汁。耳生瘡。齒齲。唇吻強。

禁忌　經脈圖考曰。一云禁灸。惟其說出于何書。實無可考。

手術　鍼三分。灸三壯。

考証　（席弘賦）但患傷寒兩耳聾。耳門聽會疾如風。

（百証賦）耳門絲竹空。住牙疼于頃刻。（天星秘訣）

耳鳴腰痛先五會。次鍼耳門三里內。

聽宮　口

解剖　此處為咀嚼筋。有上頷動脈。顏面神經。

部位　在耳前珠子旁。即耳前小尖瓣正中三下。按之有孔

如豆大處。

經脈　屬于太陽小腸經。

主治　失音嘶嗄。癲疾。心腹痛。耳內蟬鳴耳聾。

手術　鍼三分。灸三壯。

考証　（百証賦）聽宮脾俞。袪盡心下之悲悽。

別名　多所聞。

附記　此穴為手少陽三焦經。足少陽胆經。手太陽小腸經三脈之會。

聽會　口

解剖　在下顎骨顆狀突起與顳顬骨之間。為下耳腺之上部。分布顳顬動脈枝。内顎動脈。顏面神經。

部位　在耳前陷中。上關下一寸。動脈宛宛中。去耳珠下。開口有空。側卧張口取之。

經脈　屬足少陽胆經。

主治　耳聾耳鳴。牙車脫臼。齒痛不能嚼食。中風瘈瘲喎斜

手術　鍼三分。灸三壯。

考証　(玉龍歌)耳聾腮腫聽會鍼。(又)耳聾之症不聞聲。痛癢蟬鳴不快情。紅腫生瘡須用瀉。宜從聽會用鍼行。(席弘賦)但患傷寒兩耳聾。耳門聽會疾如風。(勝玉歌)耳閉聽會莫遲延。(百証賦)耳聾氣閉。全憑聽會翳風。

別名　聽河。後關。

第三節　頸項部

(一)當前頸部之正中綫。凡二穴

廉泉　口

解剖　在結喉節之上方。為甲狀軟骨部。內有甲狀腺動脈。上頭皮下神經。喉頭神經。

17

部位　在頷下。結喉上之中央，舌本之下。仰而取之。

經脈　屬于任脈。

主治　欬嗽喘息上氣。吐沫。舌縱。舌下腫。舌根急縮。流涎。口瘡。

手術　鍼三分。灸三壯。

考証　（百証賦）廉泉中衝。舌下腫痛可取。

別名　舌本。本池。

附記　此穴為任脈與陰維脈之會。

天突　口

解剖　在胸骨頸截痕上際之中央。即胸骨半月狀切痕部。上有甲狀腺動脈。上喉頭神經。

部位　在甲狀軟骨下二寸。（即結喉下二寸）

經脈　屬于任脈。

主治　上氣哮喘。咳嗽喉痺。五噎。肺癰咯吐膿血。咽腫暴瘖。身寒熱。咽乾。舌下急不得食。

性質　利肺降氣。

禁忌　刺鍼之際。鍼尖宜向下方。切勿深刺。

手術　鍼五分。灸二壯。低頭取之。

考証　(玉龍歌)天突亶中醫喘嗽。(靈光賦)天突宛中治痰喘。(百証賦)欬嗽連聲。肺俞須迎天突穴。

別名　玉戶。

附記　經脈圖考云。此穴在結喉下三寸宛宛中。經脈穴俞新考正云。在頸結喉下四寸。中央宛宛中。為陰維脈與任脈之會。據骨度篇云。結喉以下。至缺盆中長四

58

寸。又謂缺盆以下至髑骬長九寸者。皆指天突一穴。爲缺盆之中央也。又啟玄註氣府論。亦謂天突在頸結喉下。同身寸之四寸。中央宛宛中。李氏奇經考。亦曰四寸。外臺則曰在頸結喉下五寸。今各流行本反甲乙經俱云結喉下二寸。

(編者按)此穴或云二寸三寸四寸五寸。議論紛芸。莫衷一是。令人無所適從。當以骨度篇及王註氣府論、李氏奇經考、諸說爲正。然其所謂二寸者。乃低頭取之。而三寸云者。乃平伸取之。至云四寸五寸者。皆仰頭取之之意也。

(二)前頸部胸鎖乳嘴筋之前後。凡八穴。

人迎 △

解剖　在胸鎖乳嘴筋之前內緣。深部通內頸動脈。有外鎖動脈上鎖伏下神經。舌下神經之下行枝。

部位　在結喉旁一寸五分。當頸部大動脈應手之處。仰而取之。

經脈　屬足陽明胃經。

主治　吐逆。霍亂。胸中滿。喘呼不得息。咽喉癰腫。咳嗽氣短。喉痹喉痛喉風。

禁忌　銅人禁鍼。素註刺深殺人。甲乙經言。刺入過深。不幸殺人。內經云。禁鍼灸經脈圖考云。可灸三壯。

手術　鍼二分。慎勿深刺。

別名　天五會。

附記　此穴為足陽明胃經。與足少陽胆經之會。甲乙經曰。

59

夾結喉以候五臟之氣。

（編者按）此係險穴。鍼灸俱宜禁忌。如手術精熟者，只可淺刺二三分。否則以指代鍼。較為平穩。慎勿冒險為之。

水突 口

解剖 此處亦屬胸鎖乳嘴筋。其深部通內頸動脈。有上頸皮神經。舌下神經之下行枝。外頸動脈。

部位 在頸大筋前（即胸鎖乳嘴筋）直人迎下。氣舍上。內點氣喉。

經脈 屬足陽明胃經。

主治 欬逆上氣。咽喉癰腫。短氣喘息不得臥。

禁忌 宜淺刺慎勿損傷內頸動脈。或氣管。

手術　鍼二分。灸三壯。

別名　水門

氣舍　口

解剖　在胸骨把柄（亦稱劍柄）端之上。鎖骨上窩之內面。有內乳動脈。鎖骨上神經。

部位　在人迎直下。夾天突邊近陷中。貼骨尖上有缺凹。

經脈　屬足陽明胃經。

主治　欬逆上氣。喉痺哽咽。食不下。手腫項強。不能回顧。

手術　鍼三分。灸三壯。

扶突　口

解剖　在甲狀軟骨之外後部。胸鎖乳頭筋之中。有橫頸動脈。及第頸椎神經。

60

部位　在結喉旁三寸。天鼎上一寸。人迎後一寸五分。當曲頰下一寸。仰而取之。

經脈　屬陽明大腸經。

主治　欬、嗽多唾。上氣喘息。喉中如水鷄聲。暴瘖氣哽。舌強。

手術　鍼三分。灸三壯。

別名　水穴

天鼎　口

解剖　在胸鎖乳嘴筋之後緣闊頸筋中。有前項之不正筋。分布橫肩胛動脈。並鎖骨上神經。

部位　離結喉旁三寸五分處。再下一寸。居缺盆上七八分間。

經脈　屬手陽明腸經。

主治　喉痹咽腫不得食。暴瘖氣哽。

手術　鍼三分。灸三壯。

考証　（百証賦）天鼎間使失音囁嚅而休遲。

天容　□

解剖　有耳下腺。內顎動脈。頸靜脈。後頭動脈。顏面神經。

部位　在耳下曲頰後。（即頰車後二寸頸筋間）

經脈　屬手太陽小腸經。

主治　癭瘤頸腫不得回顧。重舌不能言。齒噤。耳鳴耳聾。喉痹。咽中如梗。寒熱胸滿。嘔逆吐沫。呼吸困難。

手術　鍼五分。灸三壯

附記　此穴經脈圖考言灸不言鍼。日本亦列為禁鍼穴。惟本社治療學云鍼五分至八分。但鍼後有無其他副作用或危險發生。尚待試驗。凡用之者當以謹慎為妙。

天窗 口

解剖　此處當胸鎖乳頭筋之前方。有內外頸之兩動脈。中頸皮下神經。

部位　在天容之下。頸大筋前。扶突後動脈應手陷中。

經脈　屬手太陽小腸經。

主治　頸癭腫痛。肩胛引項不得回顧。頰腫。齒噤。耳聾。喉痛，暴瘖。半身不遂。

手術　鍼三分。灸三壯。

別名　窗籠。

附記　千金云。治狂邪鬼語。可灸此穴九壯。治癮疹可灸七壯。

缺盆 ○

解剖　是處為鎖骨上窩。有濶頸筋。適當肺尖之部。有鎖骨下動脈。鎖骨神經。

部位　在結喉旁。肩上横骨（鎖骨）上部之陷凹中。

經脈　屬足陽明胃經。

主治　傷寒胸中熱不已。喘急息奔。欬嗽胸滿。水腫。瘰癧。喉痺。汗出。缺盆中腫外潰。頸部及肩胛部諸筋焮腫。

性質　瀉胸中之熱。與大杼中府同。

禁忌　刺過深令人逆息。孕婦禁用鍼刺。

手術　鍼三分。灸三壯。

別名　天蓋。

附記　此穴乃象其形。因骨間皮肉凹下如盆也。俗謂油盞骨。亦謂之鎖子骨。皆以形而得名也。經脈圖考云。此穴為五臟六腑之道。

第四節 胸腹部

(一)沿胸前之正中綫。當胸骨腹臍部。凡二十穴。

璇璣 □

解剖 有內乳動脈。肋間神經。

部位 在天突之下一寸。仰而取之。

經脈 屬于任脈。

主治 胸脇滿。欬逆上氣。喘不能言。喉痺咽腫。水漿不下。胸臟充血。

性質 行氣。

手術 鍼三分。灸五壯。

華蓋 □

解剖　有內乳動脈。肋間神經。

部位　在璇璣下一寸六分。

經脈　屬于任脈。

主治　欬逆喘急上氣。哮嗽喉痹。胸脇滿痛。飲水不下。肺臟充血。

性質　行氣。

手術　鍼三分。灸三壯。

考証　（百証賦）脇肋疼痛。氣户華蓋有靈。

紫宮 □

解剖　有內乳動脈。肋間神經。

部位　在華蓋下一寸六分之陷中。仰而取之。

經脈　屬于任脈

主治　胸脇支滿膺腫。喉痺咽塞。水漿不下。欬逆上氣。吐血煩心。肺充血。肺結核。

手術　鍼三分。灸五壯。

玉堂　口

解剖　有内乳動脈。肋間神經。

部位　在紫宫下一寸六分之陷中。仰而取之。

經脈　屬于任脈。

主治　胸膺滿痛。心煩欬逆。上氣喘急不得息。喉痺咽塞。水漿不入。嘔吐寒痰。

手術　鍼三分。灸五壯。

别名　玉英。

考証　（百証賦）煩心嘔吐。幽門開徹玉堂明。

膻中　○

解剖　有内乳動脈之分枝。肋間神經。

部位　在玉堂下一寸六分。兩乳之間陷中。

經脈　屬于任脈。

主治　一切上氣短氣痰喘哮嗽。欬逆噎氣。膈食反胃喉鳴氣喘。嘔吐涎沫膿血。婦人乳汁少。小兒吐乳。

性質　理中焦。升脾氣。降胃氣。袪胸膈之寒熱。

禁忌　明堂言灸不言鍼。故應禁鍼。

手術　灸七壯。

別名　元兒。上氣海。元見。亶中。

考証　（百証賦）膈痛飲蓄難禁。膻中巨闕便鍼。（勝玉歌）

附記　膻中七壯除膈熱。

此穴乃氣之會也。凡上氣不下。及氣噎氣隔氣痛之類。均宜就此灸之。惟壯數切忌太過。

中庭　口

解剖　有內乳動脈之分枝。肋間神經。

部位　在膻中下一寸六分。適當左右第六肋間之陷中。

經脈　屬于任脈。

主治　胸脇支滿。喘息。噎塞。吐逆。食入還出。小兒吐乳。

手術　鍼三分灸三壯。

鳩尾　○

解剖　在胸骨劍狀突起端。為上腹部之上方白條線起始部。有上腹動脈。肋間神經。

部位　在胸劍骨下五分。歧骨之下一寸（胸劍骨即蔽骨也若人無蔽骨者當據歧骨而取之）

經脈　屬於任脈。

主治　心驚悸、神氣耗散、癲癇狂病、喘息、肺氣脹、咽喉炎、

禁忌　銅人、禁鍼明堂禁鍼、刺之不幸。令人夭。故應禁鍼。

手術　灸三壯。如必欲鍼時。須兩手高舉。方可下鍼。淺刺三分。

別名　髑骬、尾翳、神府、骬骬、

考證　（席弘賦）鳩尾能治五般癇若瀉涌泉人不死。又小兒脫肛患多時。先灸百會及鳩尾（玉龍歌）脫肛取百會尾翳之所。

附記　此穴膏之原也。太難下鍼。非精熟高手。切不可妄刺。

巨闕　口

解剖　在上腹部白條線中。有上腹動脉。與神經。並分佈肋間神經。

部位　在鳩尾下一寸。

經脉　屬於任脉。

主治　上氣咳逆、胸滿、氣疼、九種心痛、冷痛、少腹㽲痛、痰飲、咳嗽、霍亂、腹脹、精神恍惚、發狂、黃疸、膈中不利、煩悶、卒心痛、尸厥、蠱毒、息賁、嘔血、吐利不止、胃癌、腹部膨脹、不思飲食、

性質　理中焦。清胸膈之寒熱實邪。

手術　鍼六分。灸七壯。

考証　《百症賦》膈中飲蓄難禁。膻中巨闕便鍼。

附記　此穴乃心之募也。千金云。治吐逆不下食。可灸五十壯。又治卒忤灸百壯。神農經云。治小兒豬癇病。如口噤吐沫。可灸三壯。艾炷如小麦。

上脘　口

解剖　有上腹動脈。與肋間神經。當胃之賁門處。

部位　在巨闕下一寸。臍上五寸。

經脈　屬於任脈。

主治　心中煩熱。痛不可忍。腹中雷鳴。飲食不化。霍亂翻胃。嘔吐、三焦多涎、奔豚、伏梁、氣脹、積聚、黃疸、心風、驚悸、嘔血、身熱、汗不出、小兒癲癇、

性質　理中焦。清心胃熱。

手術　鍼八分。灸五壯。

別名　胃上、上紀、胃管、上管、

考証　〈玉龍歌〉九種心痛及脾疼。上脘穴內用神鍼。若還脾敗中脘補。〈又〉上脘中脘治九種之心痛。〈百症賦〉發狂奔走。上脘同起於神門。〈勝玉歌〉心疼脾痛上脘先。

附記　此穴乃足陽明胃經、與手太陽小腸經、及任脈之會。神農經云、治心疼積塊。嘔吐。可灸十四壯。

中脘　口

解剖　此處內通腹膜。中藏胃府。有腹上動脈。肋間神經。

部位　在上脘下一寸。臍上四寸。居於岐骨與臍之中間。

經脈　屬於任脈。

主治　心下脹滿。傷飽食不化。膈噎、翻胃。不食。心脾煩熱。疼痛、積聚痰飲面黃、傷寒飲水過多、腹脹氣喘、溫瘧、霍亂、吐、瀉、寒熱、不已、或因讀書奔豚、氣上攻、伏梁、心下寒癖、結痛、脾冷、心下脹滿、飲食不進、不化、氣結疼痛、腸如雷鳴、胃痛、泄瀉、寄生蟲病、

性質 溫中焦、理腹寒、化濕導濁、升清利氣、振陽補胃。

手術 鍼八分。灸七壯。以致百壯。

別名 太倉、胃脘、胃募、

考証 金鑑歌：九種心痛及脾疼，上脘穴內用神鍼，若還脾敗中脘補。（又）上脘中脘，治九種之心痛。（又）脾家之疾有多般，致成翻胃吐食難，黃疸亦須尋腕骨，金鍼必定奪中脘。（肘後歌）中脘回還胃氣通。（雜病穴法歌）霍亂中脘可深入。（靈光賦）中脘下脘治腹堅。

附記 此穴乃胃之募府之會也。又手太陽小腸經、手少陽

三焦經、足陽明胃經、三脈所生。任脈所會。且府會於此。故凡付病、皆當治此。

建里 口

解剖　有腹上動脈。肋間神經。

部位　在中脘下一寸。臍上三寸。

經脈　屬於任脈。

主治　腹脹、身腫、心痛、氣上逆、腸鳴、嘔逆、不食、消化不良、

禁忌　孕婦宜禁灸此穴。

手術　鍼五分。灸五壯。

考証　（百症賦）建里內關。掃盡胸中之苦悶。（天星秘訣）肚腹浮腫脹膨膨。先灸水分並建里。

下脘 口

解剖 此穴適當胃之下口。小腸上口。有腹上動脈。肋間神經。

部位 在建里下一寸。臍上二寸

經脈 屬於任脈。

主治 臍上厥氣堅痛。腹脹滿、寒氣不化、虛腫、癖塊連臍、瘦弱少食、翻胃、小便赤或尿血、

禁忌 孕婦禁灸此穴。

手術 鍼八分。灸五壯。

考證 《靈光賦》中脘下脘治腹堅。《百症賦》腹內腸鳴。下脘陷谷能平。《勝玉歌》胃冷下脘卻為良。

附記 此穴為足太陰脾經與任脈之會。

水分 ○

解剖　有上腹動脈。肋間神經。

部位　在下脘下一寸。臍上一寸。

主治　水病、腹堅、黃腫如鼓、衝胸不得息、繞臍痛、腸鳴、泄瀉、小便不通、小兒顖陷、胃弱食慾不振、

禁忌　銅人云、灸大良、禁鍼刺。刺之不幸。令人水盡立死。

手術　宜灸五壯、七壯、至十五壯。

考証　(玉龍歌)水病之疾最難熬。腹滿虛脹不肯消。先灸水分並水道。(百症賦)陰陵水分。去水腫之臍盈。(天星秘訣)肚腹浮腫脹膨膨。先灸水分瀉建里。(靈光賦)水腫水分灸即安。

附記　此穴適當小腸之下口。食物至是而分泌清濁。水液入膀胱。渣滓入大腸。故名之曰水分。

神闕 ○

解剖 當臍之中央深部為小腸有上腹動脈

部位 在臍中央

經脈 屬於任脈

主治 陰證傷寒中風不省人事腹中虛冷陽憊腸鳴泄瀉不止水腫臌脹小兒乳痢不止腹大風癇角弓反張脫肛惡性諸痔或臌脹諸證婦血血冷不受胎者灸此永不脫胎

性質 溫中下焦補氣血益腎精

禁忌 刺之令人生惡瘍遺矢者死不治凡神闕以下諸穴孕婦鍼灸俱宜禁忌

手術 宜灸三壯

別名　臍中　氣舍

附記　凡灸此穴。宜納炒乾淨鹽填滿臍內。上加姜片。而後灸之。可灸至百壯。或以川椒代鹽亦妙。千金云。納鹽臍中灸三壯。以治淋。又霍亂。納鹽臍中灸二七壯。

（編者按）此穴諸家俱不言灸。只云禁鍼而已。惟銅人云。宜灸百壯。圖考云。昔有徐平者。卒中不省。得桃源為之灸臍中百壯。始甦。更數月後不起。鄭糾云。有一親卒中風。醫者為灸五百壯而甦。年逾八十。向使徐平灸至三五百壯。安知其不永年耶。故神闕之灸。須填細鹽。然後灸之。以多為良。若灸至三五百壯。不惟癒疾。而且延年。若灸少。則時或暫癒。後恐復發。必再難灸治矣。

陰交 口

解剖 有小腸動脈。下腹壁動脈，與神經。

部位 在臍下一寸。適當膀胱之上際。

經脈 屬於任脈。

主治 衝脈生病，從少腹衝心而痛，不得小便，疝痛，陰汗濕癢，奔豚，腰膝拘攣，婦人月事不調，崩中帶下，産後惡露不止，産後如暈，繞臍冷痛，小兒陷顖，

禁忌 孕婦勿妄鍼灸。

手術 鍼八分。灸七壯。

別名 少關，橫户，

考証 （玉龍歌）水病之疾最難熬。腹滿虛脹不肯消。先灸水

分並水道。後鍼三里及陰交。（席弘賦）若是七疝小腹痛。照海陰交曲泉鍼。（又）小腸氣塞痛連臍。速瀉陰交莫再遲。（又）咽喉最急先百會。照海太冲及陰交。（百症賦）中邪霍亂。尋陰交三里之程。（又）照下搜陰交石関之鄉。

附記　此穴為三焦之募也。為任脈衝脈足少陰腎脈之會。一云、此穴可灸至百壯。

氣海　口

解剖　有下腹壁動脈。小腸動脈。交感神經叢枝。深部為小腸。

部位　在陰交下五分。距臍一寸五分。

經脈　為於任脈。

主治 下焦虛冷。氣上衝心。或嘔吐、不止、陽虛不足、驚恐不臥、七疝、奔豚、小腸膀胱癖瘕、結塊狀如覆杯、臍下冷氣、陽脫欲死、陰症傷寒、卵縮、四肢厥冷、小便赤澀、羸瘦、白濁、婦人赤白帶下、月事不調、產後惡露不止、繞臍腹痛、小兒遺尿、

性質 溫中下焦。振陽益腎。固元氣。治血脈。凡一切氣疾。宜以此穴爲主。

禁忌 孕婦忌鍼灸。

手術 鍼一寸。灸百十壯。

別名 脖胦、下肓、季胦、丹田、

考証 （席弘賦）氣海專能治五淋。更鍼三里隨呼吸。（百症賦）鍼三陰於氣海。專司白濁從遺精。（靈光賦）氣海血海

療五淋。（勝玉歌）諸般氣症從何治。氣海鍼之灸亦宜。

附記　此穴為肓之原、男子生氣之海。甲乙經云可鍼一寸三分。灸百壯。昔柳公度曰。吾養生無他術。但使氣海常溫耳。今人則不然。不能使氣海常溫。予舊多病。常苦氣短。醫者教灸氣海。氣遂不促。自是每歲一二次灸之、又此氣海也。凡藏氣憊。一切真氣不足。久疾不瘥者。悉皆灸之。

石門　口

解剖　有下腹動脈與神經。其深部為小腸。

部位　在氣海下五分。距臍二寸。

經脈　屬於任脈。

主治　腹脹堅硬、水腫、支滿、氣淋、血淋、小便黃赤、不利、小腹

痛、泄瀉不止、身寒熱欬逆上氣唾血、卒疝疼痛、婦人因產惡露不止、遂結成塊、崩中、漏下、血淋淋瀝、小兒臍疳、

性質　理下焦。軟堅散血。

禁忌　婦人在生育期間。鍼灸俱禁。犯之絕嗣。

手術　鍼穴分。灸三壯。

別名　利機、丹田、命門、精露、三焦募、

附說　此穴為三焦之募。婦人經過生育時期後。仍與男子同用。

關元　口

解剖　臍下腹壁動靜二脈。分布第十二肋間神經。下腹神經。其深部、男子為小腸。女子為子宮底。

部位　在石門下一寸。臍下三寸。

經脈　屬於任脈。

主治　積冷、諸虛、百損、臍下絞痛、漸入陰中、發作無時、冷氣入腹、少腹奔豚、水腫、夜夢遺精、白濁、五淋、七疝、溲血、小便赤澁、遺瀝、轉胞不得溺、婦人帶下瘕聚、經水不通、不妊、或妊娠下血、或產後惡露不止、或血冷、月經斷絕、

性質　溫下焦。固下元。煖子宮。益精氣。驅腹中一切寒冷。

禁忌　孕婦鍼灸俱禁。

手術　鍼八分以至一寸二分。灸三壯至十五壯。

別名　下紀、次門、丹田、大中極、小腸募、

考証　《席弘賦》小便不禁關元妙。《天》若是七疝小腹痛。照海

陰交曲泉鍼。又不應時求氣海。關元同瀉效如神。
（金龍歌）腎氣衝心得幾時。若得關元並帶脈。（又）腎[illegible]
疝氣發甚頻。關元兼刺大敦穴。

附記　此穴乃男子藏精之所。女子蓄血之處。小腸之募也。
為足太陰脾經、足少陰腎經、足厥陰肝經、足陽明胃
經、與任脈五脈之會。千金云、治久痢百病不瘥。可灸
三百壯。分十日灸之。神農經云。治痃癖氣痛。可灸二
十八壯。

中條　口

解剖　在恥骨軟骨接合上際之上部。白條線中。毛際之內。
循下腹壁動脈。分布下腹神經。

部位　在臍下四寸。距關元一寸。

經脈　屬於任脈。

主治　陽氣虛憊、冷氣時上衝心、尸厥、恍惚、失精、無子、腹中臍下結塊、水腫、奔豚、疝瘕、五淋、小便赤澀、不利、婦人下元虛冷、血崩、白帶、白濁、產後惡露不行、胎衣不下、經閉不通、血積成塊、子門腫脹、轉胞不得小便、

性質　補氣血、益腎精、調經止漏。

禁忌　孕婦禁用鍼灸。

手術　鍼八分、灸三壯、以至十五壯。

別名　氣原、玉泉、膀胱募、

附記　此穴乃膀胱之募。足太陰脾經、足少陰腎經、足厥陰肝經、與任脈四脈之會。

曲骨　口

解剖　為恥骨軟骨之縫合部。有外陰動脈、腸骨下腹神經。
腸骨鼠蹊神經。

部位　中極下一寸。陰毛際中。距神闕五寸。

經脈　屬於任脈。

主治　小腹脹滿、小便淋瀝、血癃、潰疝、小腹痛、失精、虛冷、婦人赤白帶下、產後惡露不止、或子宮瘡瘍、

手術　鍼八分、以至一寸二分。灸五壯。

別名　胞尿、屈骨、屈骨端、

附記　此穴乃任脈與足厥陰肝經之會。

會陰　○

解剖　有球海綿體筋。及會陰神經。外痔動脈。內陰部之動脈、與神經。

[illegible]

部位　在前後兩陰之中間。

經脉　爲於任脉。

主治　陰汗濕癢、陰中諸病、前後相引痛、不得大小便、寢遺、病久痔相通、男子陰寒衝心、女子陰門痛、月經不通、

禁忌　指微集鍼卒死、溺死、可鍼一寸。灸五壯。

手術　灸三壯。尚須慎用。

別名　屏翳、金門、下極、平翳、

附記　此脉爲任脉別絡夾督脉衝脉之會。一云。任督衝三脉所起。任由此而行腹。督由此而行背。衝由此而行

(二)　腹部正中線之外側五分。第一側線。凡十八穴。

少陰之分。

幽門　口

解剖　為直腹筋部、其內左為胃脘。右為肝葉。有上腹動脈。十二肋間神經枝。

部位　在巨闕之旁五分。

經脈　屬足少陰腎經。

主治　胸中引痛。心下煩悶。逆氣裏急。支滿、不嗜食、數欬、乾噦、嘔吐、涎沫、健忘、泄利、膿血、少腹脹滿、女子心痛、逆氣、妊娠嘔惡、吞酸、

手術　鍼五分。灸五壯。

別名　上門。

考證　〈百症賦〉煩心嘔吐。幽門開徹玉堂明。

附記　此穴為衝脈與足少陰腎經之會、神農經云。治心下痞脹、飲食不化、積聚疼痛可灸四十壯

通谷 口

解剖　有直腹筋、上腹動脈、十二肋間神經枝。

部位　在幽門下一寸。上脘旁五分。

經脈　屬足少陰腎經。

主治　口喎、暴瘖、積聚、痃癖、胸滿、食不化、臍結、嘔吐、目赤痛、不明、清涕、項似拔不可回顧、

性質　理五臟之亂氣。

手術　鍼五分。灸三壯。

附記　此穴乃衝脈與足少陰腎經之會。

陰都 口

解剖　有直腹筋、横腹筋、内外斜腹筋、上腹動脈。十二肋間神經枝。

部位　在通谷下一寸。去中脘旁五分。

經脈　屬足少陰腎經。

主治　心煩滿、恍惚、喘息、氣逆、腸鳴、肺脹、氣噎、嘔沫、大便難、脅下熱痛、目痛、寒熱、痎瘧、婦人無子、臟有惡血、腹絞痛、

手術　鍼五分。灸三壯。

別名　食宮、

附記　此穴為衝脈與足少陰腎經之會。

石關　口

解剖　有直腹筋。橫腹筋。內外斜腹筋。上腹動脈。肋間神經。

部位　在陰都下一寸。去建里旁五分。

經脈　屬足少陰腎經。

主治　噦噫、嘔逆、脊強、腹痛、氣淋、小便不利、大便燥閉、目赤痛、婦人無子、或臟有惡血、上衝腹痛不可忍、唾涎分泌過多。

禁忌　孕婦禁用鍼灸。

手術　鍼一寸。灸三壯。

考証　（百症賦）無子搜陰交石關之鄉。

附記　此穴為衝脈與足少陰腎經之會。神農經云、治積痛、疝痛、可灸七壯。

商曲　口

解剖　有直腹筋、橫腹筋、內外斜腹筋。上腹動脈。肋間神經。

部位　在石關下一寸。下脘旁五分。

經脈　屬足少陰腎經。

主治　腹中切痛、積聚、不嗜食、黄疸、目赤痛、角膜炎、

手術　鍼五分。灸五壯。

別名　高曲。

附記　此穴為衝脈與足少陰腎經之會。

肓俞　口

解剖　有直腹筋。下腹動脈。

部位　在商曲下二寸。去臍旁五分。

經脈　屬足少陰腎經。

主治　腹痛、寒疝、大便燥結、目赤痛、黄疸、下痢、

手術　鍼五分。灸五壯。

考証　《百症賦》肓俞橫骨。瀉五淋之久積。

附記　此穴為衝脈與足少陰腎經之會。

中注 口

解剖　有直腹筋下腹動脈。分布腸骨鼠蹊神經。

部位　在肓俞下一寸，距陰交旁五分。

經脈　屬足少陰腎經。

主治　小腹熱、大便堅燥、腰脊痛、目眥痛、女子月事不調、子宮痛、不妊症、

手術　鍼五分、灸五壯。

附記　此穴為衝脈與足少陰腎經之會。

四滿 口

解剖　有直腹筋、下腹動脈。分布腸骨下腹神經。

部位　中注下一寸。石門旁開五分。

經脈　屬足少陰腎經。

主治　積聚、疝瘕、腸癖、切痛、石水、奔豚、臍下痛、月經不調、惡血、腰痛、經痛、不妊、

手術　鍼三分。灸三壯。

別名　髓海、髓府。

附記　此穴為衝脈與足少陰腎經之會。

氣穴　口

解剖　有直腹筋、下腹動脈分布、腸骨鼠蹊神經。

部位　在四滿下一寸。去關元旁五分。

經脈　屬足少陰腎經。

主治　奔豚、痛引腰脊、泄痢、經不調、

手術　鍼三分。灸五壯。

別名　胞門、子戶、

附記　此穴為衝脈與、足少陰腎經之會。

大赫　口

解剖　為恥骨之上部。有三稜腹筋。下腹動脈。分布腸骨鼠蹊神經。

部位　在氣穴下一寸。去中線旁五分。

經脈　屬足少陰腎經。

主治　虛勞、失精、陰萎、陰囊收縮、莖中痛、目赤痛、女子赤帶、遺精早洩、

手術　針三分。灸三壯。

別名　陰維。陰關。

附記　此穴為衝脈與足少陰腎經之會。

橫骨　○

解剖　為恥骨上部。有三陵腰筋。下腰動脈。分布腸骨鼠蹊神經。

部位　在大赫下一寸。去曲骨旁五分。陰上橫骨中。

主治　五淋、小便不通、陰器下縱引痛、小腹滿、目皆赤痛、五臟虛、

禁忌　銅人禁鍼。刺深令人逆息。

手術　灸五壯。

別名　下極、屈骨、屈骨端、

考証　《百症賦》肓俞橫骨。瀉五淋之久積。《席弘賦》氣滯腰痛不能立。橫骨大都宜救急。

附記　此穴為衝脈與足少陰腎經之會

《編者按》此穴據甲乙經云。刺入一寸。銅人經云。禁鍼。治療

學云。鍼三分。如從慎重起見。應以不鍼為宜。倘於必要時。可淺鍼三分。切勿過深。致令僨事。

(三)胸腹部正中線外側二寸第二側線。凡十九穴。

俞府 ㄇ

解剖 有大胸筋及上鎖骨筋。鎖骨下動脈。內乳動脈。胸廓神經。肋間神經。

部位 在巨骨下。即鎖骨下。璇璣旁開二寸。仰而取之。

經脈 屬足少陰腎經。

主治 欬逆上氣、嘔吐、不食、中痛、

性質 清肺、利氣、降逆、

手術 鍼三分、灸五壯、

別名 輸府、

考証　〈玉龍歌〉吼喘之症嗽痰多。若用金鍼疾自和。俞府乳根一樣刺。氣喘風痰漸漸瘥。

彧中　口

解剖　為大胸筋部。分布肋間動脈、內乳動脈及肋間神經。前胸廓神經。內容肺臟。

部位　在俞府下一寸六分。華蓋旁開二寸。仰而取之。

經脉　屬足少陰腎經。

主治　咳逆、嘔吐、氣喘不息。胸脇支滿。食慾減退。

性質　開胸降氣。

手術　鍼四分。灸五壯。

附記　神農經云。此穴治氣喘痰壅。宜灸十四壯。

神藏　口

解剖　為大胸筋部。中藏肺葉。分布肋間神經。肋間動脈。內乳動脈及前胸廓神經。

部位　在彧中下一寸六分。紫宮之旁二寸。仰而取之。

經脈　屬足少陰腎經。

主治　嘔吐、咳逆、喘不得息、胸滿不嗜食、

手術　鍼三分。灸五壯。

考証　（百症賦）胸滿項強。神藏璇璣宜試。

靈墟　口

解剖　有大胸筋。肋間動脈。內乳動脈。肋間神經。胸廓神經。內容肺臟。

部位　在神藏下一寸六分。紫宮之旁二寸。當第三肋間仰而取之。

經脈　屬足少陰腎經。

主治　胸滿不得息、咳逆、嘔吐、乳癰、洒淅、惡寒、不嗜食、鼻塞、

手術　鍼三分。灸三壯。

神封　口

解剖　有大胸筋。肋間動脈。内乳動脈。肋間神經。胸廓神經。內容肺臟。

部位　在靈墟下一寸六分。膻中旁開二寸。仰而取之。

經脈　屬足少陰腎經。

主治　胸脇滿痛、咳逆不得息、嘔吐不食、乳癰、洒淅惡寒、鼻塞、

手術　鍼三分。灸五壯。

步廊　口

解剖　有大胸筋。肋間動脈。内乳動脈。肋間神經。胸廓神經。內容肺臟。

部位　在神封下一寸六分。中庭旁開二寸。

經脈　屬足少陰腎經。

主治　胸脇滿痛、鼻塞、少氣、咳逆不得息、嘔吐、不食、臂不得舉、

手術　鍼三分。灸五壯。

不容　口

解剖　當第八肋軟骨之下緣。即肋骨下邊副胸骨線處。有直腹筋。外斜腹筋。上腹動脈。肋間神經中為胃腑。

部位　在幽門旁一寸五分。去巨闕二寸。

經脈　屬足陽明胃經。

主治　腹滿、痃癖、胸背肩脇引痛、心痛、吐血、咳嗽、嘔吐、痰癖腹虛鳴、不嗜食、疝瘕、胃痛、腸寄生蟲痛、

手術　鍼三分灸五壯

承滿　口

解剖　當第八肋軟骨附着之下部。通副胸腺。有内外斜腹筋。直腹筋。上腹動脈。肋間神經。

部位　在不容之下一寸。去上脘二寸。

經脈　屬足陽明胃經。

主治　腹脹腸鳴、脇下堅痛、上氣喘急、食飲不下、肩息、痃氣、唾血欬嗽、下痢、黄疸、

手術　鍼三分以至八分、灸五壯、

附記　千金方、腸中雷鳴相逐痢下。可灸五十壯。

梁門　口

解剖　有外斜腹筋。上腹動脈。肋間神經。内容胃府。

部位　在承滿下一寸。去中脘旁開二寸。

經脈　屬足陽明胃經。

主治　胸穴積氣、飲食不思、氣塊疼痛、大腸滑瀉、消化不良、

禁忌　此穴孕婦禁灸。

手術　鍼三分以至八分。灸七壯以至三七壯。

關門　口

解剖　有外斜腹筋及直腹筋。上腹動脈。肋間神經。內部為橫行結腸處。

部位　在梁門下一寸。去建里旁開二寸。

經脈　屬足陽明胃經。

主治　積氣脹滿、腸鳴切痛、泄痢、不食、俠臍急痛、痎瘧、振寒、遺溺水腫、消化不良、大便秘結、

手術　鍼五分以至八分灸五壯

太乙　口

解剖　此為小腸之上部有外斜腹筋及直腹筋上腹動脈
　　　肋間神經

部位　在關門下一寸去下脘旁開二寸

經脈　屬足陽明胃經

主治　心煩癲狂吐舌或舌肥大腳氣

手術　鍼五分以至八分灸五壯

滑肉門　口

解剖　此為小腸部有外斜腹筋及直腹筋上腹動脈肋間
　　　神經

部位　在太乙下一寸去水分旁開二寸

經脈　屬足陽明胃經

主治　癲疾狂走嘔逆吐血重舌舌強

天樞　口

解剖　此爲小腸部上層有外斜腹筋及直腹筋之外緣循

下腹動脈分布肋間神經

部位　在滑肉門下一寸臍旁二寸去肓俞一寸五分

經脈　屬足陽明胃經

主治　奔豚泄瀉赤白痢疾下痢不止食不消化水腫腹脹

腸鳴上氣衝胸不能久立久積冷氣遶臍切痛煩滿

嘔吐霍亂寒瘧不嗜食身黃瘦女人癥瘕血結成塊

漏下月水不調淋濁帶下子宮內炎腸寄生蟲

性質　調腸胃之氣補虛損調經血溫下焦清腸熱

禁忌　孕婦勿鍼此穴。

手術　鍼五分灸五壯以至百壯。

別名　長谿。谷門。大腸募。循際。長谷。

考証　（百証賦）月潮違限。天樞水泉須詳。（勝玉歌）腸鳴大便時泄瀉。臍旁兩寸灸天樞。

附記　此穴為大腸之募也。主腹內氣塊痃痛。虛損勞弱。俱宜灸此。自二七壯以至百壯。

外陵　口

解剖　亦屬小腸部。有直腹筋。下腹動脈。腸骨下腹神經。

部位　在天樞下一寸。去陰交旁開二寸。

經脈　屬足陽明胃經。

主治　腹痛。心下如懸。下引腹痛。

手術　鍼三分以至八分。灸五壯。

大巨　口

解剖　上層有外斜腹筋。當直腹筋外緣。有下腹動脈。腸骨下腹神經。腸骨鼠蹊神經。

部位　在外陵下一寸。去石門旁開二寸。

經脈　屬足陽明胃經。

主治　小腹脹滿。煩渴小便難。𤸷疝。四肢倦怠。驚悸不眠。

手術　鍼五分以至八分。灸五壯。

別名　腋門

水道　口

解剖　有內外斜腹筋。及直腹筋。下腹動脈。腸骨下腹神經。

部位　在大巨下一寸。去關元旁開二寸。

經脈　屬足陽明胃經。

主治　肩背強急疼痛。三焦膀胱腎氣熱結。大小便不利。疝氣偏墜。婦人小腹脹。痛引胸中。月經至則腰腹脹痛。胞中瘕子門寒。

性質　清下腹內部之熱。

手術　鍼三分半以至八分半。灸五壯以至十壯。

考証　『百症賦』脊強兮水道筋縮。

附記　此穴主瀉三焦膀胱腎臟諸邪熱氣。

歸來　□

解剖　是處直腹筋之下部。有下腹動脈腸骨下腹神經。內部容腸。與膀胱接近。

部位　在水道下一寸。去中極旁開二寸。

經脈　屬足陽明胃經。

主治　奔豚七疝。陰丸上縮入腹。痛引莖中。婦人血臟積冷。月經閉止。子宮寒冷。及一切生殖器痛。下元虛寒。

性質

手術　鍼五分以至八分。灸五壯以至十壯。

別名　谿穴

氣衝　□

解剖　此處為直腹筋之下部。（即鼠蹊窩普派尔篤氏靭帶之中央下部。為直腹筋停止處）有迴旋腸骨下腹動脈。腸骨下腹神經。腸骨鼠蹊神經。

部位　在歸來下一寸。去曲骨旁開二寸。鼠蹊上一寸動脈應手宛宛中

經脈　屬足陽明胃經

主治　逆氣上攻，心腹脹滿，不得正卧，奔豚㿗疝，大腸中熱，身熱腹痛，陰腫莖痛，婦人月水不利，小腹痛，子宮寒冷不孕，姙娠子上冲心，産难，胞衣不下。

性質　清胃腑之熱。

手術　鍼三分，灸七壯。

別名　氣衝

考証　『百症賦』帶下産崩，衝門、氣衝宜審。『百注』主血多諸疝。以三稜鍼刺此穴出血立愈。

附記　此穴為衝脈所起處。千金云，治石水證，宜灸然谷、衝、四滿、章門等穴。金鑑云，歸來下行在腿班中有肉核，名曰鼠鼷，直上一寸，動脈應手處，旁開中行二寸。即氣衝穴也。骨空論王氏註曰，此穴在毛際兩旁，鼠谿穴上一寸。動脈處也。

急脈。

解剖　在鼠蹊窩普派尓篤氏靱帶之下部。即直腹筋停止處。有三稜腹筋。迴旋腸骨動脈。腸骨下腹神經。腸骨鼠蹊神經。

部位　在氣衝下一寸。陰器旁開二寸五分。

經脈　屬足厥陰肝經。

主治　癩疝小腹痛。

禁忌　禁鍼刺。

手術　灸三壯。

別名　羊矢。

附記　氣府論曰。厥陰毛中急脈各一。王氏註曰。在陰毛中。陰上兩旁。相去同身寸之二寸半。按之隱指堅然甚按則痛引上下。其左者中寒。則上引少腹。下引陰丸。善為痛為小腹急。此兩脈皆厥陰經之大絡。通行其中。故曰厥陰急脈。即睾之系也。可灸而不可刺。病疝小腹痛者。即可灸之。「羅編者按」此穴甲乙經及諸書皆無。是遺誤也。此穴在陰旁股内約紋縫中皮肉之間。内有核如羊矢。故別名曰羊矢。以手按之。此核能移動位置。

(三)離胸部副胸骨線之外側二寸當乳線部距正中行旁開四寸。凡十三穴。

氣户 □

解剖 是處為乳線部。即第一肋骨間。軟骨附着處有大胸筋。小胸筋。及内外肋間筋。循鎖骨下動脈。上胸動脈。分布前胸廓神經。鎖骨下神經。中包肺臟。

部位 在鎖骨下一寸。去中行璇璣旁開四寸。去俞府旁開二寸。陷中。仰而取之。

經脈 屬足陽明胃經。

主治 胸背痛。欬逆上氣。支滿喘急不得息。不知味。

手術 鍼三分。灸三壯。

考証 席弘賦曰氣户攻噎只管住。噎不住时氣海灸。百症賦曰脇肋疼痛。氣户華蓋有靈。

庫房 口

解剖 在第二肋間。外有大胸筋。小胸筋。内外肋間筋。循肋間動脈。分布前胸廓神經。肋間神經。内容肺臟。

部位 在氣户下一寸六分。或中旁二寸陷中。去正中行四寸仰而取之。

經脈 屬足陽明胃經。

主治　胸脇滿。欬逆上氣。呼吸不利。唾濃血濁沫。

手術　鍼三分。灸三壯。

屋翳　口

解剖　在第三肋間部。有大小胸筋。內外肋間筋。循肋間動脈。分布前胸廓神經。肋間神經。內容肺臟

部位　在庫房下一寸六分。神藏旁二寸陷中。去正中行四寸。仰而取之

經脈　屬足陽明胃經。

主治　欬逆上氣。唾濃血濁痰。身腫。皮膚痛不可近衣。全身麻痺。

手術　鍼三分。灸三壯。

考証　百症賦　至陰屋翳。療癢疾之疼多。

膺窗 口

解剖 此處為第四肋間。有大小胸筋。內外肋間筋。循前肋間動脈。分布胸前神經。肋間神經。內容肺臟。其在左者內側為心臟。外側仍屬肺臟。

部位 在屋翳下一寸六分。靈墟旁開二寸。去中行四寸陷中。仰而取之。

經脈 屬足陽明胃經。

主治 胸滿氣短不得臥。腸鳴注泄。乳癰寒熱。

手術 鍼三分。灸五壯。

乳中 X

解剖 在第四五肋間。有大小胸筋。內外肋間筋。循前肋間動脈。分布前胸廓神經。肋間神經。外為橫前胸筋。內為心臟部位。

部位 當乳頭之正中。

經脈 屬足陽明胃經。

禁忌 此穴諸書俱禁鍼灸。甲乙經云刺之不幸。令人生蝕瘡。

別名 當乳。

附記 此屬禁穴。故主治手術概不列入。甲乙經竟不記其部位。但言不刺灸。刺之不幸。生蝕瘡。瘡中有有膿血清汁者可治。瘡中息肉。若蝕瘡者死。有一傳說。凡胞衣不下。以乳頭向下盡處俱灸之即下。

乳根 □

解剖 在第六肋間。循前肋間動脈。分布前胸廓神經。肋間神經。外為前橫胸筋。內為心尖搏動部。

部位　在乳中下一寸六分。步廓旁開二寸去中行四寸陷中。
經脈　屬足陽明胃經。
主治　欬逆。膈氣不下。食噎病。四肢厥。胸痛。胸下滿悶。臂痛腫。乳腫乳癰。悽悽寒痛。霍亂轉筋。
禁忌　此為心尖搏動部。手術未熟練者。不宜施術。
手術　鍼三分。灸五壯。

期門　□

解剖　在第八肋軟骨附着部之尖端。當第八肋間乳腺部。循上腹動脈。分佈肋間神經。
部位　在乳下二肋端。不容旁開一寸五分。
經脈　屬足厥陰肝經。
主治　傷寒胸中煩熱。奔豚上下。目青而嘔。霍亂瀉痢。腹鞕

胸脇積痛。支滿嘔酸。善噫食不下。喘不得卧。食後吐水

性質

理中焦寒邪之氣。

手術

鍼四分。灸五壯或七壯。

異名

肝募。

考証

席弘賦曰：期門穴主傷寒患。六日過經猶未汗。但向乳根二肋間。又治女人生產难。百症賦曰：項強傷寒溫溜期门而主之。通玄賦曰：期门退胸滿血膨而可已。天星秘訣曰：傷寒過經不出汗。期门通里先後灸。肘後歌曰：傷寒痞結脇積痛。宜向期门見深功。

附記

此穴乃足厥陰肝經足太陰脾經陰維脈三脈之會。肝之募也。千金云：主奔豚灸百壯。治上氣欬逆。胸滿

痛徹胸背。灸巨闕期門各五十壯。又昔有一婦人，患傷寒熱入血室。醫者不識。許學士叔微曰：小柴胡已遲，當刺期門，予不能鍼，可請善鍼者鍼之。如言而愈。

日月 口

解剖 當附著第八肋骨下部之一寸許，介於直腹筋與外斜腹筋之間。有上腹動脈、肋間神經。

部位 在期門下五分。微斜向外開。

經脈 屬足少陽膽經。

主治 太息善唾。小腸熱。欲走多吐言語不正。四肢不收。

手術 鍼六分，灸七壯。

別名 神光。膽募。

附記 此穴乃足太陰脾經、足少陽膽經與陽維脈之會，膽之募也。

解剖

腹哀 口

有内外斜腹筋。上腹動脈。肋間神經枝，腸骨下腹神經。其内部容肺臟。右與肝臟下緣接近。

部位

在日月下一寸五分。在中脘旁四寸。微下五分。大橫上三寸五分。

經脈

屬足太陰胆經

主治

寒中胃冷食不化。大便膿血腹痛。

手術

鍼三分。以至七分。灸五壯以至十壯。

附記

此穴為足太陰脾經與陰維脈之會。

大橫 口

解剖

為内外斜腹筋部，有下腹動脈。肋間神經枝。腸骨下腹神經。中藏小腸。

部位　去中行四寸。與臍相平。

經脈　屬足太陰脾經。

主治　大風逆氣。四肢不舉。多寒善悲。慢性痢疾。腸寄生虫。多汗症。

手術　鍼三分以至七分。灸三壯以至十五壯。

考証　『百症賦』反張悲哭。仗天衝大横須精。

附記　此穴為足太陰脾經與陰維脈之會。

腹結　口

解剖　為内外斜腹筋部。循淺下腹壁動脈。分布腸骨下腹神經。及腸骨鼠蹊神經之分枝。内容小腸。

部位　在大横下一寸三分。

經脈　屬足太陰脾經。

主治　欬逆。遶臍腹痛。中寒瀉痢。心痛。

手術　鍼五分以至七分。灸五壯以至十五壯。

别名　腹屈。

府舍　ロ

解剖　為恥骨軟骨接合部。即内斜腹筋之下部。分布下腹動脈之恥骨枝。與腸骨下腹神經。右當盲腸部之下部。左當S字狀部之下部。

部位　在腹結下三寸。去中行三寸半。

經脈　屬足太陰脾經。

主治　疝癖腹脇滿痛。上下搶心。積聚脾痛。厥氣霍乱。便秘。誤中鉛毒。

手術　鍼七分。灸五壯以至十壯。

附記　此穴為足厥陰肝經。足太陰脾經。與陰維脈三脈之會。

衝門　口

解剖　占恥骨地平枝之直上中。當鼠蹊皺溝之中。外端相近之所。內外腹之下部。有腸腰筋膜。下腹動脈之恥腹枝。下腹神經。腸骨鼠蹊神經。

部位　在府舍下七分。去曲骨（恥骨縫際）旁三寸五分。

經脈　屬足太陰脾經。

主治　中寒。積聚。淫濼。陰疝。妊娠衝心。膨脹。難乳。

手術　鍼七分。灸五壯。

別名　慈宮。上慈宮。

附記　此穴為足太陰脾經。與足厥陰肝經之會。

(四)離胸部乳腺外側二寸。前腋窩線部。九八穴。

雲門 口

解剖　在鎖骨下窩部之後上端。（即鎖骨外端之下際。大胸筋之上部）內有三角筋。及鎖骨下神經。前胸神經。肋間神經。胸肩峯動脈與靜脈。

部位　在巨骨之下（鎖骨下）離任脈璇璣旁六寸。夾氣户旁二寸陷中動脈應手處。去中府微斜上一寸六分餘。舉臂取之。

經脈　屬手太陰肺經。

主治　傷寒喉痺欬逆。喘不得息。四肢熱不已。胸脇煩滿肩痛臂不舉。胸脇徹背痛。癭氣。嘔逆氣上衝心。

性質　開胸降氣。清四肢熱。

禁忌　刺深令人逆息不能食。

手術　鍼三四分。灸五壯。

附記　千金云。此穴治癭上氣胸滿。可灸百壯。

中府　口

解剖　在第一肋骨之下前胸壁之外上端。外層為大胸筋。內層為小胸筋。適腋窩動脈與靜脈。有前胸神經。中膊皮下神經。肋間神經。

部位　在雲門下一寸六分。乳上三肋間陷中。動脈應手處。去正中線華蓋旁開六寸。仰而取之。（普通取法。由乳直上三寸。向外橫開一寸。肋罅間）

經脈　屬手太陰肺經。

主治　傷寒。肺急胸滿。喘逆。善噎。膈塞食不下。肺胆寒熱。欬嗽上氣不得卧。肺風面腫。肩背痛。流稀涕。唾濁涕。喉痹。少氣。肩息。汗出。瘿瘤。尸注。腹脹飲食不下。

性質 理肺利氣。並瀉胸膈及身體諸煩熱。

禁忌 不宜太深。

手術 鍼三分以至五分。留五呼。灸五壯以至五十壯。

別名 膺中俞。

考証 （百症賦）胸滿更加噎塞。中府意舍所行。

附記 此穴為肺之募。（募結也。為經氣之所聚結也 他募倣此）手太陰肺經與足太陰脾經之會。

周榮 口

解剖 在第二肋間部。有大胸筋。前大鋸筋。內外肋間筋。長胸動脈。前胸廓神經。肋間神經之側枝。

部位　在中府下一寸六分。去正中線玉堂旁開六寸。屋翳之旁二寸陷中。仰而取之。

經脈　屬足太陰脾經。

主治　胸滿不得俯仰。欬逆上氣。唾膿血濁沫。飲食不下。

手術　鍼四分。灸五壯。

胸鄉　口

解剖　在第三肋間部有前大鋸筋大胸筋。內外肋間筋。循長胸動脈。分布前胸廓神經。肋間神經之側枝。

部位　在周榮下一寸六分。膺窗旁開二寸陷中。距正中線六寸。仰而取之。

經脈　屬足太陰脾經。

主治　胸脇支滿。引胸背痛。卧不得轉側。

手術　鍼四分。灸五壯。

天谿　□

解剖　在第四肋間部。有前大鋸筋。大胸筋。內外肋間筋。循長胸動脈。分布前胸廓神經。肋間神經之側枝。

部位　在胸鄉下一寸六分。去乳中旁二寸。距正中線六寸陷中。仰而取之。

經脈　屬足太陰脾經。

主治　胸中滿痛。喘逆上氣。喉中作声。婦人乳腫癰潰

生地香附打餅可灸有

不可

手術　鍼三分。灸三壯。

食竇　□

解剖　在第五肋間部。當胃之上。有內外肋間筋。大胸筋。循長胸動脈。分布側胸廓神經。肋間神經。

部位　在天谿下一寸六分乳根旁開二寸去正中線中庭五寸陷中舉臂取之。

經脉　屬足太陰脾經。

主治　胸脇支滿欬吐逆氣。飲食不下。膈間雷鳴常有水声。

手術　鍼四分。灸五壯。

天池　口

解剖　在第四肋間。有大胸筋。前大鋸筋。循長胸動脉。胸廓神經。肋間神經。

部位　在乳後稍斜上一寸。去腋下三寸。居乳中天谿之間發成品字狀

經脉　屬手厥陰心包經。

主治　目䀮䀮不明頸痛胸脇煩滿。欬逆上氣。胸中有声。喉中

鳴。臂腋腫痛。四肢不舉。寒熱瘧。熱病汗不出。

手術 鍼三分。灸三壯以至五壯。

針名 天會

考証 （百症賦）委陽天池。腋腫鍼而速散。
此穴乃手厥陰心包經。與足少陽胆經之会。氣府論註云穴在乳後同身寸之一寸處千金云治頸漏瘰癧。可灸百壯。

附記 輒筋 口

解剖 適當第三肋間。有大小胸筋。及前大鋸筋。深部有内外肋間筋。循肋間動脈。分布長胸動脈側胸皮下神經。長胸神經。肋間神經之側枝。内容肺臟。

部位 在腋下三寸。復前行向乳房一寸。着肋處。

經脈　屬足少陽胆經。

主治　太息多噫。善悲。言語不正四肢不收嘔吐宿汁。吞酸。胸中暴滿不得卧。下腹部燃衝。

手術　鍼六分灸三壯。

別名　神光、胆募。

附記　此穴為胆之募。乃足太陽膀胱經與足少陽胆經之会。大成曰。其穴在腋下三寸。腹前一寸。三肋端直蔽骨旁七寸五分。平直兩乳。側卧屈上足取之。

第五節　側身部經穴

一、側胸腹部腋窩線。凡八穴

淵腋　△

解剖　在側胸第四肋間前大鋸筋及肋間筋中。有肋間神

部位
經脈
主治
禁忌

手術
別名
附記

神經。側胸廓神經，肩胛下神經。內容肺臟。
在腋下三寸。宛宛中。举臂取之。與乳相平。
屬足少陽胆經。
脇肋痛。悪寒發熱。
灸之令人生蝕瘡。或馬刀瘍。亦禁鍼刺。各書多云禁灸。惟不云禁刺。只經脈圖考。及日本東京鍼灸醫学研究所講義云鍼三分。
淺刺三分。
泉腋，腋門。
此穴本社治療無列為禁鍼灸之穴。故手術概不錄出。而本講義虽拠圖考及東京講義二書。云淺刺三分。然亦當謹慎。不用為佳。

大包 □

解剖　在側胸部第九肋間。前大鋸筋中。有外斜腹經。上腹動脈。長胸動脈與神經。內容肺臟。但在側則與肝臟接近。

部位　在淵腋下三寸。距腋窩六寸。

經脈　屬足太陰脾經。

主治　胸中喘痛。脇腋痛。腹有大氣不得息。實則身盡痛。虛則百節皆縱。

手術　鍼三分。灸三壯至七壯。

附記　此穴脾之大絡也。佈胸脇中。出第九肋間。及季肋之端。總統陰陽諸絡。由脾而灌溉五臟。

章門 □

解剖

在腹側部第十一肋軟骨前端。為內外斜腹筋部。即胃府之外側。循横膈動脈。分佈肋間神經之側行枝。

部位

在季肋之端。太乙外側一寸餘。側卧屈上足。伸下足。舉臂而取之。一云肘尖盡處是穴。一云臍上一寸八分。向兩旁平開八寸半。季肋之端。一云在臍上二寸兩旁。各開六寸。寸法以胸前兩乳間。横折八寸約取之。

經脈

屬足厥陰肝經。

主治

兩脇積氣如卵石。膨脹腸鳴。食不化。胸脇痛。煩熱。支滿。嘔吐。咳喘不得卧。腰背冷痛。或心痛不得轉側。肩臂不舉。傷飽身黄瘦羸。洩瀉。四肢懶。善恐。少氣。厥逆。嘔吐。黄疸。腸寄生蟲。熱中口苦口乾。不嗜食。賁豚腹痛。噦噎食入還出。溏泄不化。石水身腫諸痛。

性質　補五臟。益氣血。消痞積横聚。

手術　鍼六分以至八分。灸三壯以至三七壯。或至百壯。

別名　長平。脇髎。脾募。

考証　(百証賦)胸脇支滿何療。章門不用細尋。(勝玉歌)經年或患勞怯者。痞滿脐旁章門訣。

附記　此穴乃脾之募。諸臟之会也。又為足厥陰肝經與足少陽胆經之会。難經疏註曰。臟会季肋。臟病治此。又千金云。治奔豚積聚。堅滿脹痛。吐逆不下食。腰脊冷疼。小便白濁。灸脾募百壯。

京門　口

解剖　在腹側部。第十二肋軟骨之前端。有為外斜腹筋部。有

部位　有外斜腹筋。及濶背筋。循上腹壁動脈。分布長胸神经。及肋间神经之側行枝。在夾季脇之端。監骨上腰中。即脐上五分。旁開九寸半。屈章门之後一寸八分处。側卧屈上足。伸下足。舉臂取之。

经脉　屬足少陽胆经。

主治　腸鳴洞瀉。水道不利。少腹急痛。腰痛不得俯仰。寒热䐜脹。引背不得息。肩背腰髀引痛。溺黄。肩寒痙。肩胛内廉痛。脊痓反折停痛。

手術　鍼三分以至七分。灸三壮以至三七壮。

别名　氣俞。氣府。腎募。

附記　此穴為腎之募也。

带脉 口

解剖 为内外斜腹筋中。右为上行结肠部。左为下行结肠部。有上腹动脉。长胸神经。肋间神经之侧行枝。

部位 在章门下一寸八分。去脐旁开八寸五分陷中。

经脉 属足少阳胆经。

主治 腰腹纵。溶溶如坐水中状。妇人小腹急痛。月经不调。赤白带下。两胁气引腰痛。瘰疬。

手术 针五分以至八分。灸五壮以至十五壮。

附记 此穴为足少阳胆经。与带脉之会。带脉云者。乃如带之绕身。用以管束诸脉者也。

五枢 口

解剖 为内外斜腹筋之下缘。循回肠骨动脉。分布肠骨下腹動脈与神經。及長胸神經。肋間神經枝。

部位　在帶脈下三寸距章門四寸八分。水道旁開十寸半　陷中

經脈　屬足少陽膽經。

主治　疝瘕。小腸膀胱氣攻兩脇。小腹痛。腰腿痛。陰疝睾丸上入腹。婦人赤白帶下。裏急瘛瘲。

手術　鍼五分以至一寸。灸五壯以至十壯。

附記　此穴為足少陽膽經與帶脈之会。

維道　口

解剖　在內外斜腹筋中。循腸骨動脈。下腹動脈。分布長胸神經。及肋間神經分枝。

部位　在章門直下五寸三分。五樞之前下部五分。中極旁

间八寸五分处

经脉　足少阳胆经。

主治　呃逆不止。三焦不调。不嗜食。水肿。欬逆不止。

手术　针八分以至一寸。灸五壮以至七壮。

别名　外枢

附记　此穴为足少阳胆经与带脉之会。

居髎　口

解剖　在大臀筋停止部之前缘大肠部。有内外斜腹筋。循回肠骨动脉下腹动脉。分布长胸神经。及肋间神经分枝。

部位　在章门下八寸三分。距维道下三寸。间后横开五分。外直环跳上三寸强。

经脉　属少阳胆经。

主治　肩背痛引胸臂挛急不得举。腰引小腹痛。

手术　针三分以至八分。灸三壮以至七壮。

考证　「玉龙歌」环跳能治腿股风。居髎二穴认真攻。

附记　此穴为足少阳胆经与阳跷脉之会。

第六节　腰背部经穴

（一）沿背脊之正中线自第一胸椎上突起至尾底骨止。凡十四穴。

大椎　口

解剖　适当第七颈椎与第一胸椎之间棘间韧带及僧帽筋起始部。循横颈动脉。分布副神经。及肩胛背椎神经

□傷
大飽傷脾
大怒傷氣逆傷肝
強力舉重久坐濕地傷腎
憂愁思慮傷心
形寒飲冷傷肺
風雨寒暑傷形
恐懼不節傷志

部位：在第一椎上陷中與肩相平。

經脈：屬于督脈。

曲運神機為心之勞 矜持志節之勞 預事而憂為肺之勞
意外過思為脾之勞。盡力謀慮為肝之勞

主治：五勞七傷。乏力風勞。溫瘧痎瘧久不愈。肺脹脇滿。嘔吐上氣背膊拘急。頸項強不得回顧。傷寒熱甚。煩嘔衄血黃疸。

性質：清表熱發表寒。散瘀血，調衛氣。並瀉一切熱氣。

手術：鍼五分。灸三壯以至四十五壯。

別名：百勞。

附記：此穴為手足三陽脈及督脈之會，又為督之會，專治病者。燃而灸之。一云治身痛。與寒熱風氣痛。千金云、凡瘧有不可瘥者，從未發時前灸此穴至發時滿百壯、無不差者。又明堂以此穴治百病。神農經云。小兒急治搐驚風。又云。能治氣短不語。

陶道 口

解剖

在第一二胸椎之間。僧帽筋之起始部。循横頸動脈。分布副神經。尺肩胛神經。背椎神經。

部位

在第一椎下，垂頸取之。

經脈

屬於督脈。

主治

痎瘧寒熱。灑淅脊強。煩滿汗不出。頸重頭痛。目眩不、明。瘈瘲。恍惚不樂。頸項痛如拔。不可左右顧。

手術

鍼五分。灸三壯。

考証

言証賦。歲熱時行。陶道復求肺俞理。

附记

此穴爲督脈与足太陽膀胱經之会。一云兼身柱肺俞膏肓。爲治療肺癆之緊要穴。又云 此穴善退骨蒸、之热。

身柱 □

解剖　在第三四胸椎之间。僧帽筋起始部。循横颈動脈下行枝。及肋间動脈之背枝，分布胸椎神经之皮枝。及肩胛神经、背椎神经。

部位　在第三椎之下。俯而取之。

经脈　属于督脈。

主治　腰背痛，癫痫狂走，怒欲殺人，瘛疭身热。妄見妄言。小兒驚痫。恍惚不樂，首热，口乾，烦渴喘息，头痛汗不出

手術　鍼三分。灸五壮以至七壮。

附记　神農经云。治欬嗽可灸十四壮。

补道 ○

解剖　在第五六胸椎之間。僧帽筋起始部。循胸背動脈。横頸動脈之下行枝。分布肩胛下神経。

部位　在第五椎三下。俯而取之。

経脈　屬於督脈。

主治　傷寒头痛。寒熱往来。痎瘧悲愁。健忘驚悸，牙車脫臼。口張不合。小兒風癇瘛瘲。目視物不明。腰脊強急。

禁忌　銅人禁鍼，故不宜鍼。

手術　灸三壯，

考証　（百証賦）風癇常發神道還須心俞寧。

灵臺　口

解剖　在第六七胸椎之間菱形筋起始部。循肋間動脈分枝。分布胸背動脈。肩胛下神經區，及背椎神經後枕。

部位　在第六椎之下。俯而取之。

經脈　屬於督脈。

主治　熱病，脾瘧，溫瘧。汗不出，今俗以灸氣喘不能卧。及風冷久欬嗽，火到便愈。

禁忌　按日本東京鍼灸醫學研究講義云應禁鍼禁灸。

附記　甲乙經無此穴，斯穴出於素問氣府論啟玄子註中，謂為督脈之脈氣所發。

編者按：此穴我國各鍼經，只載其部位。不載主治手術。日本亦列為禁鍼禁灸之穴。其主治手術均從畧，惟治療學內，謂可鍼三分。灸三壯。凡用之者，應量其病之情況。而酌施之，慎勿孟浪，致僨令事可也。又此穴治疗有特效。

至陽 口

解剖 在第七八胸椎之間。有菱骨脊柱筋。循後肋動脈分枝及胸背動脈。肩胛下神經通。分布背椎神經後枝。

部位 在第七椎之下。俯而取之。

經脈 屬于督脈。

主治 腰脊強痛。胃中寒不食。少氣难言。胸脇支滿。羸瘦身黄。脛痠淫濼。四肢重痛。寒熱解㑊。口舌糜爛。黄疸腸鳴。

手術 鍼五分。灸三壯。

參証 （勝玉歌）黄疸至陽便能離。（玉龍賦）至陽卻疸，善治神疲。

附記　此穴治喘。灸三壮，喘氣立已。

筋縮　口

解剖　為第九、十胸椎之间。僧帽筋起始部。循後頸肋间動脈，胸背動脈，分布背椎神经之後枝。

部位　在第九椎之下。俯而取之。

經脈　屬于督脈。

主治　癲癇驚狂。脊强風痛。目轉上視。

手術　鍼五分，灸三壮

考証　（百症賦）脊强兮水道筋縮。

中樞　X

解剖　在第十及第十一胸椎之间。當腰背肋膜之起始部。循後肋间動脈，分布背椎神经之後枝。

部位　在第十椎之下。俯而取之。

经脉　属于督脉。

附記　此穴各書俱不載其名。惟氣府論督脈下王氏註中有之。考氣穴論曰，背與心相控而痛，所治天突与十椎者。即指此穴也。茲遵古本，應列為禁鍼禁灸之穴。故其主治手術概從畧不錄。

脊中 △

解剖　在第十一胸椎棘状突起之下，及第十二胸椎。之當腰背筋膜之起始部，循後肋间動脈。分布背椎神经之後枝。

部位　在第十一椎之下伏而取之

经脉　属於督脉

主治　風癇癲邪，腹滿不食，五痔積聚，下痢，小兒痢下。

禁忌　甲乙經言灸之令人瘻，故應禁灸。

手術　鍼三分。

別名　脊俞。神宗。

附記　此穴各經多承言灸，惟治學云灸三壯，其註謂灸三壯者，乃指每登廁時肛痛難忍，必灸此穴可愈，其他俱宜慎用。

懸樞　口

解剖　在第一及第二腰椎棘狀突起之間，有薦骨脊柱筋，循後肋間動脈，分布腰椎神經之後枝

部位　在第十三椎之下，伏而取之

經脈　屬于督脈

主治——腰脊强。不得屈伸。腹中積氣上下疼痛。水穀不化。瀉痢不止

手術 鍼三分。灸三壯。

命門 □

解剖 在第二及第三腰椎棘狀突起間。有薦骨脊柱筋。纖後肋間動脈。分布腰椎神經之後枝

部位 在第十四椎之下。伏而取之

經脈 屬於督脈

主治 腎虛腰痛。崩中赤白帶下。男子洩精淋濁。耳鳴。手足冷痺。攣急。驚恐。頭眩。頭痛如破。身熱如火。骨蒸汗不出。痎瘧。瘈瘲。裏急腹痛。痔漏下血。脫肛。腦膜炎症。

性覽 振腎陽。溫下焦

禁忌　年未滿二十者。灸之有絶嗣之恐。即二十以上四十以下者。如相火太熾。亦應禁灸。

手術　鍼三分。灸三壯。以至十五壯。

別名　屬累。竹杖。

考証　（標幽賦）取肝俞與命門。使瞽士視秋毫之末。

附記　千金云。腰痛不得動者。令病人正立。以竹杖拄地。度至臍。乃取杖度。移向背脊。於杖頭盡處。隨年壯灸之。

陽關　□

解剖　在第四五腰椎之棘狀突起間。有薦骨脊柱筋。下層動脈。分布腰椎神經。薦骨神經等枝。

部位　在第十六椎之下。伏而取之。

經脈　屬於督脈。

主治　膝痛不可屈伸。風痺不仁。筋攣不行。下腹膨脹。下痢。

手術　鍼五分。灸五壯。以至十五壯。

別名　陽陵　關陵

附記　甲乙経不載此穴

腰俞　口

解剖　為大臀経之起始部。在薦骨管裂孔腰骨筋膜中。有臀動脈。薦骨神経。

部位　在二十一椎之下尾閭骨之上部。宛宛中。

経脈　屬於督脈

主治　腰脊重痛。不得俯仰。腰以下至足。冷痺不仁。強急不能坐卧。溫瘧痎瘧。小兒遺尿。月経閉止。

手術　鍼三分。灸五壯。以至十五壯。

别名　腰柱，背解，腰户，髓空，髓孔，髓俞，髓府。

附记　千金云腰卒痛，去穷骨上一寸灸七壮即止。

長强 □

解剖　在尾闾骨之下部，荐骨韧带之下端，即大臀筋與外肛門括约筋中，有下臀動脉，内陰部動脉等。分布尾闾骨神经，外痔神经。

部位　尾闾骨端五分之處，肛門之上，窮骨下宛宛中，伏地取之。

经脉　属於督脉

主治　腰脊强急，不可俯仰，狂病，大小便難，腸風下血，五痔五淋，下部䘌蝕，洞泄，失精，嘔血，小兒顖陷，驚癎瘈瘲，脱肛，瀉血，心痛氣短，瞻視不明，寒瘧反折。

性質 通腸逐穢。

手術 鍼二三分灸二三十壯。

別名 氣郄。橛骨。窮骨。骶上骨。亀尾。龍虎穴。尾閭。河車路。上天梯。又曰氣之陰郄。又曰胸之陰俞。蛊尾。

考証 （玉龍歌）長强承山。灸痔最妙。（席弘賦）大杼若連長强尋。小腸氣痛急行鍼。（又）小兒脫肛患多時。先灸百會後尾骶。（百症賦）刺長强與承山。善主腸風新下血。（又）脫肛趨百會尾閭之所。（靈光賦）百會亀尾治痢疾。（天皇秘訣）小腸氣痛先長强。後刺大敦不用忙。

附記 此穴為督脈之絡。别走任脈。乃足少陰腎經所結。入云為足少陰腎經與足少陽胆經之會。千金翼云。治赤白下痢。灸窮骨頭百壯。多多為佳。又下漏五痔。疳虫蝕下部。刺三分。伏地取之。以大痛為度灸亦良。日灸三十壯。至七日止。但不及鍼。鍼此穴為五痔之根本。脫肛灸此七壯神良。

(二)離背部正中線之外側一寸五分。在第一側線。及後薦骨孔。與尾閭骨之外側。凡二十五穴。

大杼 △

解剖 在第一胸椎棘上突起之兩旁。上層為僧帽筋。下層菱形筋。及後上鋸筋。循肩胛背側之動脈。橫頸動脈下行枝。分布脊髓神經之後枝。及胸廓神經肋間神經。與僧帽筋副神經。

部位 在第一椎(大椎穴)之下橫開一寸五分。陶道之旁陷中。正坐取之。

鼻衄不止。

肺俞 口

解剖 当僧帽筋及菱形筋，與後上鋸筋中，循上肋間動脈，及横頸動脈下行枝，分布副神經，及胸廓神經，與背椎神經後枝，肋間神經等，深部為肺臟。

部位 在第三椎之下去脊横開一寸五分，身柱之旁，正坐取之。

經脈 屬足太陽膀胱經。

主治 五勞傳尸骨蒸，肺風肺痿，咳嗽嘔吐，上氣喘滿，虛煩口渴，目眩，支滿，汗不出，胸中痛，胸中氣滿，腰脊强痛，背僂如龜，寒熱瘿氣，黄疸，贅疣，皮膚瘙癢，食後吐水，

性能 清五臟之熱，並補虛瀉實，

禁忌 素問云。刺深中肺三日死。

手術 鍼三分。灸三壯以至數十壯。

考証 （百症賦）咳嗽連聲肺俞須臨天突穴。（玉龍歌）傷風不解咳頻頻久不醫時痨便成欬嗽須鍼肺俞穴。痰多宜向豐隆尋。（勝玉歌）若是痰涎並欬嗽治却須當肺俞穴。

附記 此穴以手搭背左取右右取左當中指盡處是穴。（千金云）治吐血唾血上氣欬逆喉痺可灸隨年壯。又乾坤生意云連陶道身柱膏肓三穴同用。能治五劳七傷。

厥陰俞 口

解剖 有僧帽筋菱形筋薦骨脊中筋後上鋸筋備背胛背

經脈 屬於督脈

主治 傷寒汗不出。腰脊項背強痛不得臥。喉痺煩滿。痎瘧。頭痛。咳嗽身熱。目眩癲疾。筋攣瘈瘲。膝痛不可屈伸。

性質 理上逆之氣。而清胸中之熱。

禁忌 明堂禁灸。資生云。非大急不可灸。故應不灸。

手術 鍼三分。

別名 本神。（席弘賦）

考証 大杼若連長強尋。小腸氣痛即行鍼。（勝玉歌）五瘧寒多熱更多。間使大杼真妙穴。（肘後歌）風痺痿厥從何治。大杼曲泉真是妙。

附記 此穴氣穴論註曰為督脈別絡手太陽小腸經足太陽膀胱經之會。又云衝脈者其輸上於大杼。

解剖
部位
經脈
主治
性質
手術
别名
附記

風門 □

有僧帽筋。菱形筋。後上鋸筋。循肩胛背動脈。分布脊椎神經之後枝。

在第二椎之下。去脊横開一寸五分。正坐取之。

屬足太陽膀胱經，

傷寒脊強。風眩頭痛。項強目瞑。清涕鼽嚏。胸中熱。喔逆上氣。喘卧不安。身熱黄疸。癰疽背發。

清熱祛風。

鍼五分。灸五壯以至十壯。

熱府

此穴能一身之熱氣。常灸之。永無癰疽瘡疥等患。神農經云。治傷風欬嗽頭痛。鼻流清涕。可灸十四壯。反

部位
經脉
主治
禁忌
手術
別名
附記
解剖

動脉分布脊椎神經之後枝。深部容肺臟。

在第四椎之下，相去正中行一寸五分。

屬足太陽膀胱經。

欬逆牙痛。心痛結胸。嘔吐煩悶。贅疣。

銅人言鍼不言灸。但他書俱未提。

鍼三分。灸七壯。

闕俞

此穴出於山眺經。甲乙經無此穴。

心俞 □

有僧帽筋。菱形筋。薦骨脊中筋。後上鋸筋。循後肋間動脉之背枝。及橫頸動脉之下行枝。分布背椎神經後枝。及肋間神經。深部容心臟。

鍼灸經穴詩新……　第一百[illegible]頁

部位　在第五椎之下。神道旁開一寸五分。

經脈　屬於足太陽膀胱經。

主治　偏風。半身不遂。食噎積結。寒熱。心氣。心亂煩滿。恍惚心驚。汗不出。中風偃臥不得。發癇悲泣。嘔吐欬血。發狂健忘。瘖瘂癱瘓。

性質　清五臟之热。

禁忌　銅人云不可灸。素問云。刺中心一日死。

手術　鍼三分，灸三壯。

別名　背俞

考證　（勝玉歌）遺精白濁心俞治。（百症賦）風癇常發神道還須心俞寧。

附記　神農經云小兒氣不足者。數歲不能語。灸可五壯艾柱如麥粒。又據經云。可治惡噎。

督俞 口

解剖　有僧帽筋。背長筋。与薦骨脊柱筋。循後肋间動脈。分布背椎神經之後枝。深部容心臟。

部位　在第六椎之下。去正中行旁开一寸五分。正坐取之。

經脈　屬足太陽膀胱經。之奇穴。

主治　寒熱。腹中痛。雷鳴。氣逆心痛。

禁忌　鍼灸經云禁鍼。其他鍼書俱未言及。

手術　鍼三分。灸三壯。

別名　高蓋

膈俞 口

解剖　有僧帽筋。背長筋。薦骨脊柱筋。循後肋间動脈分布

背椎神經之後枝

部位　在第七椎下。去至陽旁開一寸五分。正坐取之。

經脈　屬足太陽膀胱經。

主治　心痛周痺。腸胃寒疾。暴痛心滿氣急。吐食翻胃。痃癖五積。氣塊血塊。欬逆四肢腫痛。怠惰臥嗜臥。骨蒸喉痺。熱病汗不出。食不下。腹脇脹滿。自汗盜汗。胃癌。惡疸。哽噎咽腫。肩背寒痓。

性質　統理全身之血。

手術　鍼三分以至五分。灸三壯以至二十壯。

附記　此穴為血之會也。凡屬血症。均宜治此。千金云。治吐逆翻胃。可灸百壯。捷經云。膈俞膽俞。可治勞噎。

肝俞　口

解剖 有僧帽筋。背長筋。闊背筋。肋骨舉筋。薦骨脊柱筋循，後肋間動脈。分布背椎神經之枝。右方深部容肝臟。

部位 在第九椎之下。筋縮旁開一寸五分。正坐取之。

經脈 屬足太陽膀胱經。

主治 氣短欬血。多怒。脇肋滿悶。欬引兩脇。脊背急痛。不得息。轉側难反折。上視。驚狂。衄血。眩暈。痛循眉頭。黄疸。鼻痠。熱病後目中生淚。眼目諸疾。熱痛生翳。或熱痙後。因食五辛患目。唾血。或疝氣筋痙相引。轉筋入腹急痛。中風。口乾。支滿。吐食或食不消。雀目。

性質 清五臟之熱。並瀉肝補血。

禁忌 素問云。刺中肝五日死。

手術　鍼三分。灸三壯。

考証　（玉龍歌）肝家血少目昏花。宜補肝俞力便加。更把三里頻瀉動。還光益血自無差。（勝玉歌）肝俞血盛兮肝俞瀉。（標幽賦）取肝俞於命門使瞽士視秋毫之末。（百症賦）攀精攻少澤肝俞之所。

附記　千金云。治胸滿心腹積聚疼痛可灸百壯又云氣短不語。亦灸百壯。

胆俞

解剖　上層有僧帽筋。背長筋。下有闊背筋。循後肋間動脈背枝。分布副神及背椎神經後枝與肋間神經。左方深部為胆臟。

部位　在第十椎之下。中樞旁開一寸五分。正坐取之。

經脈　屬足太陽膀胱經。

主治　頭痛振寒。汗不出。腋下腫。心腹脹滿。口乾苦，咽痛嘔吐。翻胃食不下。骨蒸勞熱。目黄。胸脇痛不能轉側。或胆囊諸病。

禁忌　素問云刺中胆一日死。

手術　鍼三分。灸三壯。

考証　（百症賦）目黄兮陽剛胆俞。

附記　捻經云。用胆俞膈俞二穴。可治勞噎。

脾俞　□

解剖　有僧帽筋。闊背筋。薦骨脊柱筋。循後肋間動脈。分布背椎神經之後枝。

部位　在第十一椎之下，去脊中旁開一寸五分，正坐取之

經脈　屬足太陽膀胱經。

主治　痃癖積聚，脇下滿，痃瘧寒熱，黃疸，腹脹痛，吐食，食不饋，食不化，或飲食倍多，不長肌肉，煩熱嗜臥，身作羸瘦，泄痢，善欠，体重，四肢不收，水腫病，

性質　清五臟之熱，理四肢之血。

禁忌　素問云：刺中脾，十日死，

手術　鍼三分，灸三壯，

考証　（百症賦）聽宮脾俞，祛殘心下之悲悽。（見）脾虛穀以不消，脾俞膀胱俞覓。

附記　捷經云：此穴可治思噎，食噎。治食不消化，洩痢，不生肌肉，腸脇脹滿，水腫，可灸隨年壯。

胃俞　□

解剖　上層有闊背筋。下層有薦骨脊柱筋。循後肋間動脈之背枝。分布背椎神經之後枝。及肋間神經。內容胃臟。

部位　在第十二椎之下去脊正。中行外一寸五分。

經脈　屬足太陽膀胱經。

主治　胃寒吐逆。翻胃霍亂。腹脹支满。肌膚疲瘦。腸鳴腹痛。不思食。脊痛筋攣。小兒羸瘦。食少不生肌肉。小兒痢下赤白。秋末脫肛。肚疼不可忍（艾柱如大麥）。小兒夜盲。吐乳便青。胃癌惡疽。視力缺乏。

性質　能振陽驅寒健胃。

手術　鍼三分。灸三壯。

考証　（百症賦）胃冷食而難化。魂門胃俞堪責

三焦俞 口

解剖 上層為闊背筋。下層為薦骨脊柱筋。及方形腰筋。循腰動脈之背枝。分布背神經之後枝。

部位 在第十三椎(即第一腰椎)懸樞旁開一寸五分。正坐取之。

經脈 屬足太陽膀胱經。

主治 傷寒身熱。頭痛。吐逆。肩背拘急。腰脊强痛。不得俯仰。臟腑積聚。脹滿。膈塞不通。飲食不化。羸瘦。水穀不化。腹痛下痢。腸鳴。目眩。腦貧血。

性質 清臟腑。利三焦。

手術 鍼五分。灸三壯。

附記 (千金云)少腹堅。大如盤盂。胸腹脹滿。飲食不消。婦人

癥瘠。同氣海各灸百壯。又治尿血。可灸此穴下共

腎俞 □

解剖　上層有擴背筋。腰背筋膜。下層有薦骨脊柱筋及方形腰筋。循腰動脉之背枝。分布腰神經之後枝。

部位　在第十四椎之下(即第二腰椎)與臍眼並行。恰當命門旁一寸五分。正坐取之。

經脉　屬足太陽膀胱經。

主治　虛勞羸瘦。面黃目黑。耳聾腎虛。水臟久冷。腰痛夢遺。精滑精冷。膝腳拘急。身熱頭痛。振寒心腹脹。兩脇滿痛引少腹。少氣溺血。小便赤。小便濁。赤白帶下。月經不調。陰中痛。五勞七傷。虛憊無力。足寒如冰。注食不化。身腫如水。男女久積氣痛。變成癆疾。骨蒸熱。目䀮

䀮不明。恶风寒面赤热。心痛如悬。精液缺乏。痔疾淋症。

性質　補腎益精。温下焦。清五臟邪熱。

禁忌　素問云。刺中腎六日死。

手術　鍼三分。灸三壯。以至數十壯。或百壯。

別名　蓋宵。

考証　(玉龍歌)腎敗腰虛小便頻。夜間起止苦勞神。命门若得金鍼助。腎俞艾灸起邅迍。(勝玉歌)腎敗腰疼小便頻。督脈兩旁腎俞治。

(千金云)治夢遺失精。五臟虛勞。少腹强急。各灸百壯。

附記　(編者按)五臟居中。其脈氣俱出於背之足太陽膀胱經。蓋因此經內部諸臟之神經幹由此神經幹而達於神經枝。又由神經枝而達於神經叢。所謂神經叢者。乃各臟腑表面紅色如網狀之紋也。吾人於俞穴處施以治療之刺激。每收直接之效用。西人亦知於此處治療所收之效用宏而捷。故有脊椎神經療之創興。究其實。乃拾吾鍼灸古術之餘緒而已矣。至諸俞穴之驗取法。係按其俞穴之處。其內中臟腑必痛且痠軟。按其處。應在中。而痛解（解即痠軟解散之謂）者。乃其俞也。

氣海俞 口

解剖　有長背筋。大腰筋，腰背筋膜。尾薦骨脊柱筋。循腰動脈背枝。分布腰椎神經之後枝，

部位　在第十五椎之下。（即第三腰椎）去脊中行外一寸五分。稍伏取之。

經脈　屬足太陽膀胱經之奇穴。

主治　腰痛痔漏。

手術　鍼三分灸三壯。

大腸俞　口

解剖　有闊背筋，長背筋，大腰筋，及薦骨脊柱筋，循腰動脈背枝。分布腰椎神經之後枝。

部位　第十六椎之下。(即第四腰椎下)距陽關旁開一寸五分，伏而取之。

經脈　屬於足太陽膀胱經。

主治　脊强不得俯仰。腰痛腹脹。繞臍切痛。腸鳴瀉痢。食不化。大小便不利。腸澼暴洩。淋疾遺尿。

性質　通腸逐穢。

手術　鍼三分，灸三壯。
考证　(灵光赋)大小腸俞大小便。
附记　此穴主治大腸諸疾。千金云。脹滿雷鳴可灸百壯。

關元俞 △

解剖　有長背筋腰背筋膜。薦骨脊柱筋。反方形腰筋。循腰動脈肋间動脈。分布薦骨神經。
部位　在第十七椎之下(即第五腰卫)去脊正中行外一寸五分。伏而取之。
经脈　属足太陽膀胱经之奇穴。
主治　風劳腰痛。泄利虚脹。小便难。婦人癥瘕。積聚諸疾。
禁忌　鍼灸经云。钱刀言灸。明堂经亦言灸。
手術　針三分，灸三壯。

附記 此穴据鍼灸經明堂經二古書。俱不言灸。虽治療学言灸三壯。亦应慎用。

小腸俞 口

解剖 有腰背筋膜。脊骨柱筋及方形腰筋。循腰動脈之背枝。及肋间動脈。分布脊骨神經。

部位 在第十八椎之下（即脊骨之上部）去脊正中行外一寸五分。上髎外側约×分之處。伏而取之。

經脈 屬足太陽膀胱經。

主治 膀胱三焦津液少。小便赤不利。淋瀝遺尿。小腹脹满腹痛泻痢膿血。心煩氣短。五痔疼痛。婦人带下五色。阴部腫痛。腰脊疝痛。腰脊急強。

手術 鍼三分。灸三壯。

考証 （灵光赋）大小肠俞大小便。

附记 千金云。消渴口乾不可忍者。宜灸百壮。又云。泄注五痢。便膿血。腹痛。均灸百壮。

膀胱俞 口

解剖 上層為腰背筋膜。下層為荐骨柱筋之起始部。有大臀筋。中臀筋。循側荐骨動脈。上臀動脈。分布上臀神经。及腰椎神经之皮枝。

部位 在第十九椎之下（即荐骨之上部）去脊正中行外一五分。次髎外側约五分之處。伏而取之。

经脉 屬足太陽膀胱经。

主治 小便赤澀。遗尿泄痢。腰背腹痛。堅结積聚。脚膝寒冷無力。拘急不得屈伸。女子癥瘕。陰中生瘡。煩满汗不出。热痉引骨痛。

手術　鍼三分。灸三壮。

考証　(百証賦)脾虛穀以不清。脾俞膀胱俞覓。

中膂俞　口

解剖　有大臀筋。中臀筋。腰背筋膜。循上臀動脈。分布上臀神經。荐骨神經之皮枝。

部位　在第二十椎之下荐骨之中部。去脊正中行外一寸五分。中髎外側約七分處。伏而取之。

經脈　屬足太陽膀胱經。

主治　腎虛消渴。腰脊強痛不得俯仰。腸泄赤白痢。疝痛。汗不出。腸腹脹腫。寒热痉反折。

禁忌　鍼灸經言鍼不言灸。

手術　鍼三分灸三壯。

别名　脊内俞。一曰中膂内俞。

考証　(雜病穴法歌)痢疾合谷三里宜。甚者必須兼中膂。

附記　此穴只鍼灸經不言灸。其他鍼經俱未言及禁灸。當從衆論灸之。

白環俞　△

解剖　為尾閭骨部。在薦骨裂孔之兩側。有大臀筋。及梨子狀筋。分布下臀神經。陰部神經。

部位　在二十一椎之下。(即薦骨之下部)距腰俞旁開一寸五分。下髎外側約八分處。伏而取之。

經脈　屬於足太陽膀胱經。

主治　腰脊痛不得坐卧。疝痛。手足不仁。二便不利。温瘧筋攣痺縮。靈熱閉塞。

禁忌　甲乙經無灸壯。水穴註云。不宜灸。故應禁灸。

手術　鍼三分以至五分。

考証　(百症賦)背連腰痛。白環委中曾經。

(二)……後膂骨孔及尾閭骨之外側。凡五穴。

上髎　□

解剖　在第一後薦骨孔。有腰背經膜腸腰筋薦骨脊柱筋。縮側薦骨動脈。肋間動脈。分布薦骨神經之後枝。

部位　在第十八椎之下。小腸俞之內側距脊正中行外約八分。第一後薦骨孔處。

經脈　屬足太陽膀胱經。

主治　大小便不利。嘔逆。腰脊冷痛。寒熱瘧。鼻衄。婦人絕嗣。

陰中瘵痛。陰挺出。白赤，帶下。月經不順。膝蓋部厥冷，

手術 鍼三分。以至八分。灸三壯。

附記 此穴為足太陰少陽之絡。素問刺腰痛論註曰。上髎當髁骨。髁骨即腰髁也。在第十六椎下。腰脊兩旁。起骨之夾脊者

次髎 口

解剖 在第二後薦骨孔部。有腰背筋膜。及大臀筋。薦骨脊、柱筋。循側薦骨動脈。上臀動脈分佈上臀神經，薦骨經神之後枝。

部位 在第十九椎之下。膀胱俞之內側。距脊正中行約八分。第二後薦骨孔處。

經脈 屬足太陽膀胱經。

主治 大小便秘淋澀心下堅脹腰痛足腫疝氣下墮引陰痛不可忍。腸鳴泄瀉赤白帶下月經不順子宮脫出。膝蓋部厥冷腰下至足不仁。

手術 鍼三分灸五壯。

中髎 口

解剖 在第三後薦骨孔部。有腰筋膜。大臀筋。薦骨脊柱筋。循上臀動脈側薦骨動脈。分布上臀神經薦骨神經之後枝。

部位 在第二十椎之下。中膂俞之內側。距脊正中行外約八分第三後薦骨孔處。

經脈 屬於足太陽膀胱經。

主治 五勞七傷二便不利。腹脹飧泄。婦人少子。帶下月經不調。腰痛。

手術　鍼三分。灸三壯。

附記　此穴為足厥陰肝經。與足少陽胆經之會。

下髎穴 [illegible]

解剖　在第四後薦骨孔部。有腰背筋膜。大下臀筋。薦骨脊柱筋。循側薦骨動脈。下臀動脈。分布陰部神經。下臀神經。及臀骨神經之後枝。

部位　在第二十一椎之下。中膂俞之內側。腰俞之外側。夾脊約七八分間陷中。第四後薦骨孔處。

經脈　屬足太陽膀胱經。

主治　腸鳴泄瀉。二便不利。下血。腰痛引小腹急痛。女子淋濁不禁。陰中癢痛。

手術　鍼三分灸三壯。

附記　素問刺腰痛篇及繆刺論王註皆曰。足厥陰肝经脈之支者。与足太陰脾经。足少陽胆经。俱结于腰髁（腰髁見上髎穴附记内）下。夹脊第三四骨空中。其穴即中髎下髎二穴也。

會陰　曰

解剖　在尾閭骨端之兩側。大臀筋之起始部。有肛门举筋。肛门括约筋。循下痔動脈。下臀動脈。分布会陰神经。

部位　在尾閭骨下之旁側。陷者中。陰尾尻骨旁。（醫学大门谓外開一寸五分。

经脈　屬足太陽膀胱经。

主治　腹中寒氣泄瀉。腸澼便血。久痔。陽氣虛乏。陰汗濕痒。

手術　鍼三分。灸三壯。一曰可刺八分。

別名　利機。

附記　甲乙經曰。此穴督脈之脈氣所發。

（三）離背部第一側線之外側一寸五分距正中行三寸。為第二側線。九十四穴。

附分　口

解剖　有僧帽筋。後上鋸筋。小方稜筋。循橫頸動脈。及上肋間動脈。分布脊椎神經。與肩胛肋間神經。及副神經。

部位　在第二椎之下。去脊三寸。風門旁開一寸五分。正坐取之。

經脈　屬足太陽膀胱經。

主治　肘肩不仁。肩背拘急。風客腠理。头項痛不得回顧。風劳。

手術　鍼三分。灸三壯。

附记　此穴乃手太陽小腸經。与足太陽膀胱經之会。

魄户　口

解剖　有僧帽筋。大方稜筋。循横頸動脈。分布肩胛及背神经之皮枝。

部位　在第三椎之下。去身柱三寸。距肺俞外侧一寸五分。正坐取之。

经脉　屬足太陽膀胱经。

主治　虚劳肺痿。肩膊胸背痛。傳尸走疰。项强不得回顧。喘逆烦满嘔吐。欬逆上氣。肺寒热。呼吸困难不得卧。劳损痿黄。

性質　此穴主瀉五臟之熱·

手術　鍼三分。以至五分。灸五壯。

别名　魄户

考証　（百症賦）劳瘵传尸。取魄户膏肓之路。（標幽賦）体热劳嗽。而瀉魄户。

附记　神農经云。此穴治虚劳发热。可灸十四壯。

膏肓俞　口

解剖　有僧帽筋。大方稜筋。循横頸動脈之下行枝。分布背椎神经。有胛神经。

部位　在第四椎之下。去脊三寸。厥陰俞外側一寸五分。正坐曲脊取之

经脉　屬足太陽膀胱经之奇穴。

主治　百病皆療。虛羸瘦損。五劳七伤。夢遺失精。上氣欬逆。痰火發狂。健忘。神經衰弱。婦人胎前產後諸疾。

性質　益氣振陽。補虛益氣。

禁忌　銅人言灸不言鍼。

手術　鍼三分。灸三壯以至百數十壯。

考証　百症賦）劳瘵傳尸。取魄户膏肓之路。玉龍歌）膏肓二穴治病強。此穴原来难度量。斯穴禁多香艾。二十一壯亦無妨。灵光賦）膏肓豈只治百病。灸則立功。病須愈。

附记　乾坤生意）膏肓陶道身柱肺俞等穴。為治虛損五劳七傷。之緊要穴。千金云。此穴可灸百壯或三五百壯。多至千壯。当氣下礱礱然。如流水之降。若停痰宿疾。

在心下也。倘病人已困，不能正坐，當令側臥，挽上臂令前，索孔穴灸之。訖，後令人陽氣康強。一云此穴灸後，令人陽氣日盛，當消息自為補養，令得平復。諸疾無所不治。一云灸七七壯至百壯千壯，灸後當灸足三里，以引火實下。明堂云：此穴之取法，頗不一致，有孫思邈、王惟一、石用之、葉善、潘琪、僧仲之等，或用鈎股，或抱膝之，或坐而伸平兩手，或坐臥而手曲肘，或坐伸臂或擺顧兩骨高下，或量臍心，或量命門，或坐點臥點，各有所長。然後來明大法，以予（即西方子）平昔用此，所取之穴百無一差。其法在四椎下五椎上，各去脊三寸，究之中。按之須得病人中指麻木，則灸無不取效。又莊綽云：凡取此穴，當令病人兩手交在膊上。灸時亦然。則胛骨乃開，其穴立見，按之痠痛即為其穴，灸至千壯。少亦七七壯。應以千金之立點立灸臥點臥灸之法為的。劉瑾云：按之痠處乃是穴，每依此灸療。多獲全愈。○此穴自晉以前諸書俱未有。乃後人所發見而增之也。

（編者按）此穴各書俱多言灸不言鍼。應以不鍼為宜。

神堂 □

解剖　有僧帽筋。及菱形筋。循橫頸動脉下行枝。分布肩胛背神經。及肋間神經、脊柱神經之後枝。

部位　在第五椎之下。去神道三寸距心俞一寸五分陷中。

正坐取之。

經脉　屬足太陽膀胱經。

主治　腰脊強痛不可俛仰。灑々惡寒。胸腹滿逆。時噎。反背强急。

手術　鍼三分灸五壯。

譩譆　口

解剖　有僧帽筋。及菱形筋。循橫頸動脈下行枝。分布肩胛背神經。肋间神經。脊柱神經之後枝。

部位　在第六椎之下去灵台三寸。正坐抱肘取之。

經脈　屬足太陽膀胱經。

主治　大風熱病汗不出。勞損虛乏不得卧。温瘧久不愈。胸腹脹滿氣噎。肩背脇肋痛急。目痛目眩。嗽逆上氣鼻衄。五心煩熱。痛痒骨痛，肩胛内廉痛。

手術　鍼六分灸五壯。

附記　甲乙經云。此穴以手痛按之。病者呼噫嘻之声。乃是真穴。蓋因其痛也。千金云。多汗瘧病。可灸五十壯。

膈俞　□

解剖　有僧帽筋。及背腸肋筋。循横頸動脈。分布肩胛神經。肋間神經。脊柱神經之後枝。

部位　在第七椎之下。至陽旁開三寸。距膈俞外側一寸五分。正坐取之。開肩

經脈　屬於足太陽膀胱經。

主治　背痛惡寒。脊強難俯仰。噎吐食不下。胸中噎向大小便不利。噎噦流涎。

性質　行血。

手術　鍼五分。灸五壯。

附記　此穴為血之會也。可治一切血症。

魂門　□

解剖　有闊背筋。循後肋間動脈。分布背椎神經。肋間神經，及肩胛下神經。

部位　在第九椎之下去脊椎旁三寸距肝俞外側一寸五分。正坐取之。

經脈　屬足太陽膀胱經。

主治　尸厥。胸背連心痛。飲食不下消化不良。腹中雷鳴。大便不節。小便黃赤。嘔吐不住。多涎。

性質　能瀉五臟之熱。

手術　鍼五分。灸五壯。

考証　（百症賦）胃冷食而難化魂門胃俞堪責。（標幽賦）筋攣骨痛而補魂門。

陽綱 口

解剖 有關背筋。循後肋間動脈。分布肩胛下神經。肋間神經。脊柱神經。

部位 在第十椎之下。去中樞旁開三寸。距胆俞外側一寸五分。正坐取之。

經脈 屬足太陽膀胱經。

主治 腸鳴腹痛。食不下。小便澀。身熱消渴。面黄目黄。腹脹瀉泄。

手術 鍼五分。灸五壯。

考証 (百症賦)目黄。兮陽綱胆俞。

意舍 口

解剖　有闊背筋。循後肋間動脈。分布肩胛下神經。及肋間神經脊柱神經。

部位　在第十一椎之下。去脊中旁開三寸。距脾俞外側一寸五分。正坐取之。

經脈　屬足太陽膀胱經。

主治　背痛腹脹。大便瀉小便黄。嘔吐。悪風寒。胃弱飲食不化。消渴噎飲面目黄。

性質　能清五臟之熱。

手術　鍼五分灸五壯。

考証　（百症賦）胸滿更加噎塞。中府意舍所行。

附記　明堂經此穴可灸五十壯以至百壯。

胃倉　□

解剖　有後肋間動脈。分布肩胛下神經。及肋間神經。脊椎神經。

部位　在第十二椎之下。去脊三寸。距胃俞外側一寸五分。正坐取之。

經脈　屬足太陽膀胱經。

主治　腹脹滿。水腫。飲食不下。惡寒。背脊痛。不可俯仰。

手術　鍼五分。灸五壯。

肓門　□

解剖　有方形腰筋。闊背筋。薦骨脊柱筋。循腰動脈。肋間動脈。分布肩胛下神經。腰椎神經之後枝。

部位　在第十三椎之下。去懸樞旁開三寸。距三焦俞外側一寸五分。正坐取之。

經脈　屬足太陽膀胱經。

主治　心下痛。大便堅。婦人乳痛。乳部餘疾未清。

手術　鍼五分灸五壯。

志室 □

解剖　有方形腰筋。闊背筋。循腰動脈。分布肩胛下神經。脊柱神經。腰椎神經之後枝。

部位　在第十四椎之下。去命門旁開三寸。距腎俞外側一寸五分。正坐取之。

經脈　屬足太陽膀胱經。

主治　陰腫。陰瘡。陰痛。夢遺失精。小便淋瀝。脊背強。腰脇痛腹中堅滿。霍亂吐瀉。不食大便難。

性質　能瀉五臟之熱。

手術　鍼五分。灸三壯。

胞肓　□

解剖　在髂骨部。有大臀筋。中臀筋。及梨子狀筋。循上臀動脈。分布上臀神經。下臀神經及坐骨神經之後枝。

部位　在第十九椎之下。夾脊三寸。距膀胱俞外側一寸五分。伏而取之。

經脈　屬足太陽膀胱經。

主治　腰脊痛。惡寒。小腹堅。腸鳴。大小便不利。陰痛下腫。淋疾。

手術　鍼五分。灸五壯。

秩邊　□

解剖　有大小臀筋。梨子狀筋。循上臀動脈。分布上臀神經下臀神經。及薦骨神經。

部位　在第二十一椎之下。去腰俞旁開三寸。距白環俞外側一寸五分。伏而取之。

經脈　屬足太陽膀胱經。

主治　腰痛不能俯仰。五痔發腫。小便赤澀。尻腫不能舉。

手術　鍼五分。灸三壯。

(四) 肩胛部凡十三穴。

肩中俞 □

解剖　在第一胸椎棘上突起之兩側。有僧帽筋。菱形筋。循肌向動脈。及肩胛動脈之分行枝。分布肋向神經之分枝。肩胛背神經。及背椎神經之後枝。

部位　在肩胛之內廉。去大椎之旁二寸陷中。

經脈　屬足太膀胱經。

主治　咳嗽上氣。吐血寒熱。目視不明。頭頸部痙攣。

手術　鍼三分以至六分。灸五壯。以至十壯。

肩外俞 □

解剖　在第二肋骨後端之上沿。有僧帽筋。肩胛橫舉筋。項長肋筋。後上鋸筋。菱形筋。循橫頸動脈。分布背椎神經。肩胛神經。副神經。後胸廓神經。

部位　在肩胛上廉。去脊大椎旁開三寸陷中。與大杼平。

經脈　屬手太陽小腸經。

主治　肩胛痛。發寒熱。引項强急。不能左右顧周痺寒至肘

手術　鍼五分灸三壯。

肩井 □

解剖　在肩胛峰筋與棘上筋之间。有僧帽筋。循横肩胛動脈。外頸動脈。分布肩胛上神經。及副神經。

部位　在肩上陷解中。缺盆上大骨前一寸半。以三指按取、之當中指下陷者中。

經脈　屬足少陽胆經。

主治　中風氣塞涎上不語。氣逆。五勞七傷。頭項頸痛臂不能舉。或因撲傷腰痛。脚氣上攻。若婦人難產墮胎手足厥冷。鍼之立愈。又半身不遂。中風欬逆。

禁忌　鍼灸經云。刺深令人短寿。孕婦禁鍼。

别名　膊井。

考証　(席弘賦)若鍼肩井須三里。不刺之時氣未調。(百症賦)肩井乳癰而極效。(通玄賦)肩井曲池甄權刺臂痛而纔射。（天星秘訣）脚氣痠疼肩井先。次尋三里陽陵泉。

附記　此穴為手少陽三焦經。足少陽膽經。足陽明胃經。與陽維脈四脈之會。一云治癲症可灸隨年壯。

天髎　□

解剖　在肩胛骨之上部有僧帽筋。及棘上筋。循橫肩胛動脈。頸靜脈。分布肩胛上神經。及副神經。

部位　在鎖骨之上窩上部肩井內一寸。後開八分陷中。一云在缺盆陷處。上有空起肉之上是穴。

經脈　屬手少陽三焦經。

主治　肩臂痠痛。缺盆痛。汗不出。胸中煩滿。頸項急。肩肘引痛。臂不能舉。

手術　鍼五分。灸三壯。

附記　此穴為手少陽三焦經足少陽胆經與陽維脈三脈之會。

秉風　□

解剖　在肩胛棘起始部之上際。即僧帽筋部下層為棘上筋之集合部循横肩胛動脈分布肩胛下神經及副神經。

部位　在肩上天髎外肩上髃後。舉臂有空處。

經脈　屬手太陽小腸經。

主治　肩痛不可舉。

手術　鍼五分灸三壯。

附記　此穴為手太陽小腸經手少陽三焦經手陽明大腸

經。足少陽胆經。四脈之會。

曲垣 口

解剖 在肩胛棘隅之上際。有僧帽筋及肩胛举筋。循撗肩胛動脈。分布肩胛上神經。及副神經。

部位 在肩之央中曲胛陷中。按之應手痛。

經脈 属手太陽小腸經。

主治 肩臂热痛。拘急周痺。

針術 鍼五分。灸十壯。

巨骨 ○

解剖 在肩骨棘與鎖骨外端之間。上層為三角筋。下層為棘上筋之集合部。循肩胛動脈分枝。及腋窩靜脈。分布腋窩神經。及肩胛上神經。前胸廓神經。

部位　在肩尖上行。兩叉骨間陷中。即肩髃上。肩胛关節下陷中

經脉　屬手陽明大腸經。

主治　驚癇。吐血。胸中有瘀血。臂痛不得屈伸。肩中痛不能搖動。小兒搐搦。

禁忌　素註禁鍼。故不宜鍼。

手術　灸三壯以至七壯。

附記　此穴乃手陽明大腸經與陽蹻脈之會。

天宗　口

解剖　在肩胛骨之棘下筋部。淺層有僧帽筋循横肩胛動脈。分布肩胛上神經及副神經。

部位　在秉風後。大骨之下陷中肩貞斜上一寸七分。横内

開一寸

經脈　屬手太陽小腸經。

主治　肩臂痠痛。肩外後廉痛。頷頰腫。肘痛臂重不舉。

臑俞　□

解剖　在肩胛骨窩之後方。三角筋中。有肩胛骨棘下筋。循橫肩胛動脈。分布腱窩神經。肩胛上神經。

部位　在肩髎後。大骨下。胛上廉中陷。即肩貞上一寸。橫外開八分。舉臂取之

經脈　屬手太陽小腸經。

主治　臂痠無力。肩痛引胛。寒熱氣腫痠痛。頸頷腫痛。

手術　鍼五分以至八分。灸三壯。

附記　此穴為手太陽小腸經。足太陽膀胱經。與陽維脈陽

跻脉四脉之會。

肩髃 · 口

解剖　在肩峯突起與上膊骨大結節及鎖骨之関節部。三角筋上之中央。循後廻旋上膊動脈。及腋窩静脈。分布腋窩神经。鎖骨上神经及肩胛上神经。

部位　在肩尖下一寸許。罅陷中。即膊骨頭肩端上兩骨罅陷中，擧臂有空處。

经脉　屬手陽明大腸经。

主治　中風偏風半身不遂。肩臂筋骨痠痛不能仰頭。傷寒發热不已。勞氣泄精憔悴。四肢热。諸癭氣瘰癧。風痹筋骨無力。久不瘥。热風癮疹。手臂攣急。捉物不得臂細無力

性質　搜经络及周身四肢之風，並理肺，舒氣，瀉四肢之热。

禁忌　明堂云宜灸不宜鍼。又云多灸恐细臂。

手術　鍼六分，留六呼，灸七壮，以至七七壮。

別名　頭衝、頸衝

考証　（玉龍歌）肩端紅腫痛难當，寒湿相争氣血狂，若向肩髃明補瀉，管君多灸自安康。（天星秘訣）手臂攣痺取肩髃。（百症賦）肩髃陽谿消隂中之热極。（勝玉歌）兩手疼痛難执物，曲池合谷共肩髃。（千金云）治瘿氣須灸十七八壮，男子左十八右十七，女子右十八左十七，以瘥為度。（甄權傳）唐臣狄欽患風痺手不得伸，甄權鍼此穴立愈。明堂云，若灸偏風不遂，可七七壮，不宜过多。此穴為手太陽小腸經、手

附記

陽明大腸經。与陽蹻脈之会。一曰乃足少陽胆經。与陽蹻脈之会。

肩髎 口

解剖　在肩胛骨肩峰突起之下際。即上膊骨与鎖骨之关節部。上層為三角筋。下層為棘下筋集合部。循前廻旋上膊動脈。橫肩胛動脈。及腋下靜脈。分布腋窩神經。及肩胛上鎖骨神經。

部位　在鎖骨与肩胛骨之陷凹部。即肩端肩峰突起与上膊頭骨兩骨之间。肩髃後一寸餘。微下些。試將臂上举。當其陷凹處。斜举臂取之。

經脈　屬手少陽三焦經。

主治　臂重肩痛不能举。

手術　鍼七分灸三壯

臑會　口

解剖　在上膊後面之上部。即三角筋停止部之外緣。下層有三頭膊筋。循後迴旋上膊動脈及頭靜脈。分布後膊皮下神經。腋下神經。

部位　在肩頭下三寸。即臂後廉去肩端三寸宛宛中。

經脈　屬手少陽三焦經。

主治　肘臂氣腫。肘難屈伸。臂痠痛無力不能舉。項癭氣瘤。寒熱瘰癧。

手術　鍼五分。灸五壯。

別名　臑髎。臑交。

附記　此穴為手陽明大腸經。及手少陽三焦經二絡之会

肩貞 □

解剖　在肩峰突起与上膊骨之関節部。上層為三角筋之後緣。下層有棘下筋循後迴旋上膊動脈。分布肩胛上神經。及腋下神經。

部位　在肩峰突起之後側下曲胛下肩顒後夾脊横八寸。下直腋縫。

經脈　屬手太陽小腸經。

主治　傷寒々熱。頷腫。耳鳴耳聾。缺盆肩中熱痛。風痺手足不舉。肩胛痛四肢麻痺。

手術　鍼五分。灸三壯。

第八節　上肢部

(一)自上膊之前外側。經肘窩至拇指橈側爪端之綫凡九穴。

天府 △

解剖　左腋下上膊骨之内側上部。有二頭膊筋。循腋窩靜脈。及上膊動脈之分枝。分布橈骨神經。正中神經。內外膊皮下神經。其深处为上膊骨之上部。

部位　左腋下三寸。臂之內廉動脈中。直对尺澤穴相距七寸处。举臂平前。以鼻取之。俯首鼻端接处是穴。

經脈　屬手太陰肺經。

主治　暴痹。中風中惡。口鼻衄血。寒热痎瘧。目眩。善忘。喘息不得臥。癭氣蠱毒。衄血。近視眼。分脹分腫。呼吸息肩。

禁忌　灸之令人逆氣。

手術　鍼三分。

参考　（百症賦）天府合谷。鼻中衄血宜追。

附記　千金云。治身重嗜卧不自覺。可灸百十壯。鍼三分補之。素问至真大要論云。天府绝。死不治。绝者。腋窩動脈不搏動也。

俠白　□

解剖　在三頭膊筋。与内膊筋之间。循上膊動脈。及頭靜脈。分布内外膊皮下神經。橈骨神經枝。

部位　在天府下二寸。去尺澤五寸。動脈之中。

經脈　屬手太陰肺經。

主治　心痛氣短。呕逆煩满。乾欬。

手術　鍼三分。以至五分。留三呼。灸五壯。

附記　此穴若与内关合鍼。能并胸满。

尺澤　△

解剖 在橈骨与上膊骨之关節处。当二頭膊筋腱（勒帶）之外廉。膊橈骨筋起始部之内缘。循天骨及橈骨動脈。分布橈骨神經正中神經。

部位 在肘中约纹之中心。曲肘横纹上。筋骨罅中將手平举取之。

經脈 属手太陰肺經。

主治 汗出中風。寒热痎瘧。喉痹鼓頷。呕吐上氣。心煩身痛。口乾喘滿。欬嗽唾濁。心痛氣短。肺脹息賁。心疼腹痛。風痹肘攣。四肢腫痛不举。溺数遺失。面白善嚏。悲愁不樂。上吐下瀉。两脇下痛。癲疾。喉痹肺结核病。

性質 調肺氣。清肺热。消胀腫。逐風邪。

禁忌 甄權云。不灸。

针術　鍼三分。

别名　鬼受。鬼堂。

主証　（席弘賦）五般肘痛尋尺澤。（雜病穴法歌）吐血尺澤功無比。（玉龍歌）筋急不開手難伸尺澤從來要認真。（又）两手拘挛筋骨連艱難動作欠安然。只將曲池鍼瀉動。尺澤兼行見聖傳。

附記　此穴乃手太陰肺經所行為經。經者乃經脈之氣由此通行象水之直流也。即血脈之直行者是謂為經。以下各經皆同。

太淵　□

解剖　大内橈骨筋腱之外側。廻前方筋之下緣。舟狀骨結節之外上部。有外轉拇筋。循橈骨動脈。及頭靜脈分

部位　布外膊皮下神經。及橈骨神經。
在掌後寸口前橫紋上。緊接經渠。陷者中。搯之甚酸楚。

經脈　屬手太陰肺經。

主治　作寒作熱。煩燥狂言。胸痹氣逆。肺脹喘息。欬嗽欬血。嘔噦。咽乾。心痛。目痛生翳。口噼。缺盆痛。肩背痛引臂。溺色變。遺矢。煩悶不得眠。肺膨脹。目眥赤。筋掌中熱。

性質　潤肺清熱。

手術　鍼二分。留二呼。灸三壯。

別名　天泉。鬼心。

考証　(席弘賦)氣刺兩乳求太淵。未應之時瀉列缺。(又)列缺頭痛及偏正。重瀉太淵無不應。(又)五般肘痛尋尺澤。

附記

太淵針後却收功（玉龍歌）寒痰咳嗽更兼風。列缺二穴最堪攻。此時太淵一穴瀉。多加艾火即收功

此穴乃手太陰肺經脈所注為俞。俞者輸也。象水之注。謂經氣由此而輸注。亦即經氣之原也。以下各俞皆同。神農經云。治手疼及手腕無力疼痛可灸七壯。

魚際 △

解剖　在短外轉拇筋之停止部。有拇指對向筋短屈拇筋循橈骨動脈之背枝動脈。分布正中神經。及橈骨神經。

部位　在大指本節後內側白肉際中散脈中。

經脈　屬手太陰肺經。

主治　酒病身熱惡風。寒熱。舌上黃頭痛。欬唾血。傷寒汗不

出。胸背痛不得息。目眩煩心。少氣寒慄。喉燥咽乾。欬引尻痛。吐血。心痺悲恐。腹痛食不下。乳癰。肘攣支滿。口瘖不能言。陰痿。霍亂。

性質　清熱利氣。理肺清肺。扶正逐邪。

禁忌　鍼灸經云不宜灸。

手術　鍼二分以至四分。留三呼。灸五壯。

考証　(席弘賦)轉筋目眩鍼魚際。承山崑崙立便消(百症賦)喉痛兮液門魚際可療。

附記　此穴乃手太陰肺脈所溜為榮。溜者流也。象水之流謂經脈之氣。由此急流而過也。以下各榮皆同。千金云。齒痛不飲食。右患灸左。左患灸右。男三壯。女四壯。一云汗不出者。鍼太淵經渠通里。便得淋漓。更兼二间三里。便得汗至遍体。

编者按。此穴各鍼經俱不禁灸。惟鍼灸經云。不宜灸。兹從衆說。以宜灸論之。

少商 □

解剖 在爪甲發生根部。此处為長曲拇指筋。及拇指内肘筋。循橈骨動脈之終枝。分布橈骨神經之前枝。

部位 在大指内側爪甲角。白肉際中。去爪甲如韭葉。

經脈 属手太陰肺經。

主治 頷腫。喉痹。乳蛾。咽腫。喉閉。欬逆。痎瘧。煩心。嘔吐。腹脹。腸鳴。寒慄。手攣指痛。掌中熱。唇乾口渴。飲食不下。雀目不明。脇下脹。耳前痛。心下滿汗出而寒。黃疸。重舌。唇焦。舌下軟瘤。

性質　清五臟之熱。驅一切風邪。

禁忌　銅人云不灸。鍼灸經云不宜灸。

手術　鍼一分。留三呼。凡瀉熱宜以三稜針刺出血。

別名　鬼信。鬼眼。

考証　(百症賦)少商曲澤血虛口渴同施。(太乙歌)男子痃癖取少商。(天星秘訣)指痛攣急少商好。(肘後歌)剛柔二痙最乖張。口噤眼合面紅粧。熱血流入心肺府。須要金鍼刺少商。(勝玉歌)頷腫喉閉少商前。(什病穴法歌)小兒驚風刺少商。人中湧泉刺莫深。

此穴乃手太陰肺之所出為井。井者泉也。象水源之所出。謂經脈之氣。由源而發出也。以下各井皆同。資生云。咽中腫塞。水粒不下。鍼此穴立愈。乾坤生意云。

此穴爲十二井穴之一。凡初中風、卒暴昏沉、痰涎壅塞、不省人事、牙關緊閉、藥水不下。急以三稜針刺此穴。並刺諸井穴。使血氣流行。乃起死回生拯急之妙穴。一云。唐刺史成君綽忽頸腫如升喉閉、水粒不下。甄權以三稜鍼刺之。微出血立愈。凡刺此穴出血。能瀉諸臟之熱。雖不可灸。然治鬼魔邪祟。亦有灸之者。

(二)上膊前面之正中。肘窩之內側。經中指橈側。爪端之線。凡八穴。

天泉 口

解剖 在上膊骨前內側。三頭膊筋部。循上膊動脈。分布內膊皮下神經。及上膊尺骨神經。

部位 在手之內側。腋下二寸。舉肘取之。

經脈　屬手厥陰心包經。

主治　悪風寒。胸脇痛。支滿咳逆。肩背胛間及臂内廉痛。視力缺乏。

手術　鍼六分。灸三壯。

別名　天濕。

曲澤　口

解剖　在肘窩之正中。上膊骨與前膊骨之關節部。二頭膊筋腱間。循上膊動脈。及重要靜脈。分布中膊皮下神經。及正中神經。

部位　在肘内廉下之陷者中。即尺澤之内側動脈。曲肘得之。

經脈　屬手厥陰心包經。

主治　心痛善驚。身熱煩渴。臂肘搖動。掌痛不可伸。傷寒溫病。身熱口乾。嘔吐亂逆。惡血。

手術　鍼三分。灸三壯。

考証　（百証賦）少商曲澤。血虛口渴同施。

附記　此穴乃手厥陰心包脈所入為合。合者象水之會。謂經絡之會合銜接處也。以下各合皆同。

郄門　口

解剖　在橈骨與尺骨之中。長屈拇筋與淺屈拇筋之間。有橈骨筋。循尺骨動脈。前骨間動脈。重要靜脈。分布正中神經。

部位　在掌後大陵上去腕五寸。

經脈　屬手厥陰心包絡。

主治　嘔吐衄血。心痛嘔血。驚悸畏人。神氣不足。久痔。

手術　鍼三分。灸五壯。

附記　此穴乃手厥陰心包脈之郄。

間使　□

解剖　在橈骨與尺骨之中。長屈拇筋與淺屈指筋之間。有內橈骨筋。循前骨間動脈。重要靜脈。分布正中神經。

部位　在郄門下二寸。大陵上三寸。掌後兩筋間陷中。

經脈　屬手厥陰心包經。

主治　傷寒結胸。心懸如飢。嘔沫少氣。中風氣塞。昏危不語。卒狂。胸中澹澹。惡風寒。霍亂乾嘔。腋腫肘攣。九心痛。咽中如鯁。婦人月水不調。小兒忤客。多驚夜啼。久瘧。掌中熱。瘖不得語。

性質　行血。

手術　鍼三分。灸三壯。

別名　鬼路。

考証　（百証賦）天鼎間使。失音囁嚅而休遲。（靈光賦）水溝間使治邪癲。（捷径）熱病頻嘔鍼間使。（肘後歌）狂言盜汗如見鬼。惺惺間使便下鍼。（又）瘧疾熱多寒少用間使。（勝玉歌）五瘧寒多熱更多。間使大杼真妙穴。（雜病穴法歌）人中間使祛癲妖。

附記　此穴十三鬼穴之一。乃手厥陰心包脈所行為経。千金云。治乾嘔不止。所食即吐。可灸此穴三十壯。若四肢脈絶不至。灸之便通。此法能起死人。又治卒死者百壯。神農経云。治脾寒寒熱往來。渾身瘡疥。可灸七壯。

内關 口

解剖 在橈骨尺骨之中。表層屈拇筋與淺層屈拇筋之間。循前骨間動脈與口脈。分布正中神經。

部位 在掌後大陵上二寸。當腕之兩筋間。與外關相對。

經脈 屬手厥陰心包經。

主治 中風失志。實則心暴痛。虛則心煩惕惕。面熱目昏。支滿肘攣。久瘧不已。胸滿腸痛。目赤夜盲。黃疸。產後血暈。

性質 行血利溫。

手術 鍼五分。灸五壯。

考証 （玉龍歌）腹中氣塊痛難當。穴法宜向内關防。

（雜病穴法歌）舌裂出血尋内关。太冲陰交走上部。（又）腹痛公孫内关爾。（又）一切内傷内关穴，痰火積塊退煩潮（又）死胎陰交不可緩，包衣照海内关尋。（席弘賦）肚痛須是公孫妙。内关相應必然瘥（百症賦）建里内関掃盡胸中之苦悶。（標幽賦）胸腹滿痛刺内关（攔江賦）傷寒四日太陰經，公孫照海一同行。再用内关施絶法。（八法訣）内关通入陰維中滿心胸痞脹。腸鳴泄瀉脱肛。食難下膈酒来傷，積塊堅横脇搶，婦女脇疼心痛。結胸裏急難當，傷寒不解胸膛悶，瘧疾内关独當。

附記

此穴乃手厥陰心包絡之絡脉。别走入手少陽胆経者。神農經云心痛腹脹，腹内諸疾可灸七壯。

大陵 口

解剖　在手腕关节之前面横纹正中之陷凹部。迴前方筋之下缘。在桡骨尺骨之间有横腕韧带，循尺骨动脉。分布正中神经。

部位　在手腕横纹之间桡尺两骨间之陷中。

经脉　属手厥阴心包经。

主治　热病汗不出。元卒痛。喘欬呕血。心悲如饥。善笑不收。头痛气短。惊恐悲泣。呕逆喉痹。目乾目赤。肘臂挛痛。小便如血。疟作寒作热。头痛身热如火。掌中热。胸中痛。痂疥疮癣。

性质　清心胸之热。降气除浊。

手术　针三分。灸三壮。

考証　（玉龍歌）口臭之疾最可憎。大陵穴人中瀉。（又）勞宮穴在掌中尋。滿手生瘡痛不禁。心胸之疾大陵瀉。氣攻胸腹一般鍼。（勝玉歌）心熱口臭大陵驅。

附记　此穴乃十三鬼穴之一。为心包脈所注为俞。神農經云。治胸中疼痛胸前瘡疥。可灸三壯。千金云，吐血嘔逆。灸五十壯。（又）凡卒患腰腫。附骨癰疽節腫遊風，熱毒。此等疾。但初覺有異，急灸五壯立愈。左患灸右。右患灸左。當中者左右俱灸

勞宮　□

解剖　在掌骨腱膜中。有淺伸屈指筋。循掌動脈。分布正中神经。

部位　在手掌心中。動脈應手處。屈無名指取之。

經脈　屬手厥陰心包經。

主治　中風悲笑不休，熱病汗不出，脇痛不可轉側。吐衄噫逆。煩渴食不下，胸脇支滿，口中腥氣，黃疸手痺，大小便血。熱痔。善渴。口爛。鵝口瘡。小兒齦爛。掌中熱。

性質　清熱理氣瀉邪。

禁忌　明堂云。灸之令息肉日加。

手術　鍼二分，灸三壯。

別名　五里。掌中。鬼路。

考証　(玉龍歌)勞宮穴在掌中尋。滿手生瘡痒不禁。(雜病穴法歌)勞宮能治五般癇，更刺湧泉疾若挑。(灵光賦)勞宮醫得勞倦。(百症賦)治疸消黃，偕後谿勞宮而看。(通玄賦)勞宮退翻胃心痛亦何疑。

附記　此穴乃手厥陰心包絡之脈。所溜為滎。千金云。心中懊憹痛。鍼入五分。補之。一云、癲狂灸此穴效。（編者按）凡灸此穴。最多不得過三壯。明堂云。灸之令人息肉日加者。為壯數過多之弊也。

中衝　口

解剖　在總指伸筋腱之附着部。循指掌動脈。分布正中神經。及橈骨神經手背枝。

部位　在中指端內去爪甲如韮葉。

經脈　屬手厥陰心包經。

主治　熱病汗不出、頭痛如破、身熱如火、心痛身熱、煩滿、舌強、痛、中風不省人事、小兒夜啼、肘中痛、掌中熱、神氣不足、失忘、

性質　瀉本經之實。

手術　鍼一分。灸一壯。

考證　〈百症賦〉廉泉中衝。舌下腫痛可取。

附記　此穴乃心包脈之所出為井。神農經云。治小兒夜啼多哭。灸一壯。艾炷如小麥。乾坤生意云。凡初中風。暴仆昏沉。痰涎壅盛。不省人事。牙關緊閉。藥水不入。急以三稜針、刺十井穴。使血氣流通。乃起死回生之妙訣也。又云。此井穴同治肺經諸病。

(三)自上膊之前內側腋窩之前壁經上膊內之前側至小指橈側爪端之緣凡九穴

極泉　□

解剖　在大胸筋停止部之外側。上膊下部。肩胛下筋。與三角筋之境界。循腋窩動脈靜脈。及肩胛動脈。分布內膊皮下神經。尺骨神經。

部位　在腋窩內腋下毛中。近前胸之两筋間。動脈之中。

經脈　屬手少陰心經、

主治　心脇滿痛、肘臂厥寒、四肢不收、乾嘔、煩渴、目黃、

手術　鍼三分。灸七壯。

青靈　口

解剖　在上膊骨之前內側上層。為二頭膊筋內緣。下層為內膊筋之接際部中。循上膊動脈、腋窩動脈之分枝及重要靜脈。分布下膊皮下神經。正中神經。

部位　在肘上三寸。伸肘舉臂取之。

經脈　屬手少陰心經、

主治　頭痛、目黃、振寒、脇痛、肩臂不舉、

禁忌　明堂銅人二經俱言灸不言鍼。故應禁鍼。

手術　灸三壯。

附記　甲乙經無此穴名。

少海△

解剖　在鷹嘴突起之內側。二頭膊筋腱之旁。內膊筋停止部之內緣。循反尺骨動脈與靜脈。合布尺骨神經。正中神經。下膊皮下神經。

部位　在肘內廉節後大骨下。去肘端五分。即肘內横紋頭。屈肘向頭取之。

經脈　屬手少陰心經、

主治　寒熱、目眩、發狂癲、癇、羊鳴、嘔吐、涎沫、項不得回、頭風、

疼痛、氣逆、瘰癧、肘臂腋脇痛、髮不舉、齒齲、牙痛、

手術 鍼三分、

别名 曲節

考証 （席弘賦）心疼手顫少海間、若要除根覓陰市、（百症賦）兩臂頑麻、少海就傍於三里、（雜病穴法歌）心痛肘顫少海求、（勝玉歌）瘰癧少海天井邊、

附記 此穴乃手少陰心經所入為合。

靈道 口

解剖 在尺骨下部之前内緣、内尺骨筋腱之橈骨側、廻前方筋中、循尺骨動靜二脈、分布尺骨神經、中膊皮下神經、

部位 在掌後内側一寸五分。

經脈　屬手少陰心經。

主治　心痛悲恐、乾噦、癲癎、肘攣暴瘖不能言、

手術　鍼三分、灸五壯、

考証　（附後歌）骨寒髓冷火來燒、靈道妙穴分明記、

附記　此穴乃手少陰心經脈之所行為經。

通里　口

解剖　在內尺骨筋與淺屈指筋之間。循尺骨動脈。分布尺骨中膊皮下神經。

部位　在腕後一寸。靈道下半寸陷中。

經脈　屬手少陰心經。

主治　熱病、頭痛、目眩、面熱無汗、懊憹、暴瘖、心悸悲恐、畏人、喉痺、苦嘔、虛損、數欠少氣、遺溺、肘臂痠重、實則肢腫、

虛则不能言。婦人经血過多。崩漏。

性質 清心瀉熱。

手術 鍼三分。灸三壯。

考証 玉龍歌：連日虛煩面赤粧。心中驚悸亦难當。若須通里穴能瀉。一用金鍼体便康。（百証賦）倦言嗜卧。往通里大鐘而明。（馬丹陽十二訣）欲言聲不出。懊憹及怔忡。实则四肢重。头腮面頰红。虛则不能食。暴瘖面無容。

附証 此穴乃手少陰心经之絡脈。別走手陽明大腸经者。

陰郄 口

解剖 在内尺骨筋腱。而浅屈指筋之向。循尺骨動脈。分布中膊皮下神经。尺骨神经。

部位　在通里下半寸。去腕後五分。掌後動脈中。

经脈　屬手少陰心经。

主治　鼻衄吐血。失音不能言。霍乱中满。灑淅恶寒。厥逆。驚恐心痛。头痛眩暈。

手術　鍼三分。灸三壯。

考証　百証賦寒慄恶寒二间疏通陰郄暗。又陰郄後谿治盗汗云多出。標幽賦瀉陰郄止盗汗。治小兒骨蒸。

附记　此穴乃手少陰心经之郄之通路。

神门

解剖　在豆骨与尺骨之关節部。即内尺骨筋之止處。豌豆骨之下。有深掌側動脈。分布尺骨神经。

部位　在掌後腕骨（即豌豆骨）之端陷中。陰郄下五分。

经脈 屬手少陰心经。

主治 痎瘧。心煩。欲得冷飲。惡寒則欲就溫。咽乾不嗜食。驚悸心痛。少氣身熱。面赤發狂。悲哭喜笑。嘔血吐血。遺溺失音。健忘心積伏梁。大小兒之癇症。手臂攣掣。產後血暈。瘰癧。

性質 清心瀉熱。解胸中鬱结之氣。

手術 鍼三分。灸三壯。

別名 兑衝。中都。

考证 （百证賦）發狂奔走。上脘。同起神門。（玉龍歌）癡呆之症不堪親。不識尊卑枉駡人。神门独治癡呆症。（雜病穴法歌）神门專治心癡呆。（勝玉歌）後谿鳩尾及神门治療五癇立便痊。

附記　此穴乃手少陰心經之脈所注為俞。

少府　口

解剖　在第四掌骨與第五掌骨之間。即小指屈筋之停止部。循指掌動脈。分布尺骨神經之指掌枝。

部位　在手小指本節後。骨縫陷中。直勞宮。

經脈　屬手少陰心經。

主治　痎瘧久不愈。振寒煩滿。少氣。心胸疼痛。悲恐畏人。臂痛肘腋攣急。陰挺出。陰癢。陰中痛。遺尿或尿閉。偏墜小便不利。掌中熱。手捲不能伸。

性質　清心煩熱。

手術　鍼二分。灸三壯。

考証　肘後歌。心胸有病少府瀉。

附記　此穴乃手少陰心经之脉。所溜為荥。

少衝　口

解剖　在爪廓之發生根部循指掌動脉。分布尺骨神經之指掌枝。

部位　在小指內廉之端。去爪甲角如韭葉。白肉際處。

經脉　屬手少陰心經。

主治　熱病煩滿。心火上炎。眼赤血少。嗌吐血沫。心痛。冷痰。少氣。嘆息悲恐。善驚畏人。口熱咽酸。胸脇痛。乍寒乍熱。臑臂內後廉痛。手攣不伸。舌本痛。吐舌沫出。身熱如火。心悶汗不出。掌中熱。手拳不伸。

性質　瀉心清熱。

手術　鍼一分。灸二壯。

别名 經始

治証 (百症賦)發熱仗少衝曲池之津。(玉龍歌)胆寒心虛病如何少衝二穴功最多。

附記 此穴乃手少陰心經之脉。所出為井。凡初中風猝倒暴昏沉痰涎壅盛。不省人事。牙関緊閉。水葯不下。急以三稜鍼刺此搭井穴。以流通氣血。乃起死回生之妙穴也。

(四)自上膊之外側三角筋停止部。經上膊骨外上髁之前側。至示指之橈側端之爪線。凡十四穴。

臂臑 ○

解剖 此處為三角筋之停止部。循後廻旋動脉。及頭靜脉。分布腋窩神经。及後膊皮下神經。

部位　在臂外側。肘上七寸䐃内端。肩髃下三寸。两筋两骨罅宛宛陷中。平手取之。

经脉　属手陽明大腸经。

主治　臂痛無力。寒热瘰癧。頭項拘急。肩臂痛不能舉。

禁忌　明堂宜灸不宜鍼。又云多灸恐臂細。

手術　灸三壯以至七壯。

考証　(百証賦)五里臂臑生癧瘡而能治。

附記　此穴乃手陽明大腸经之絡。别入手少陽三焦經之臑會。一曰手太陽小腸經。足太陽膀胱经。与陽維脉三脉之會。千金云。癭瘻氣可灸隨年壯。

五里 ○

解剖　在三頭筋之外緣。深部為螺旋狀溝下之部。循橈骨側副動脈。頭靜脈。分布後膊皮下神經。及橈骨神經。

部位　在肘上三寸。行向裏大脈中央。

經脈　屬手陽明大腸经。

主治　風勞驚恐。吐血咳嗽。嗜臥。肘臂痛難動。脹滿氣逆。寒熱瘰癧。目視䀮䀮。痎瘧。心下脹滿。

禁忌　素問禁鍼。故不宜鍼。

手術　灸三壯以至十壯。

考証　(百証賦)五里臂臑。生癧瘡而能治。

附記　此穴一云在天府下五寸。

肘髎　口

解剖　在三頭膊筋外緣。循返迴橈骨動脈。及中央頭靜脈。分布下膊皮下神经。橈骨神經。

部位　在肘上大骨外廉陷中。曲池上稍外斜一寸。与天井相并。相去一寸四分處。

经脉　屬手陽明大腸经。

主治　肘節風痹。臂痛不舉。屈伸攣急。麻木不仁。嗜臥。

手術　鍼三分以至五分。灸三壯。

曲池　口

解剖　在外髆骨之外上髁。与橈骨之関節部。即肘湾合尖處。深部有髆橈骨筋。循返迴橈骨動脉。分布橈骨神經。外髆皮下神經。

部位　在肘外輔骨（即上髆骨下端之小頭。与橈骨上端小頭之関節部）之陷中。屈肘紋横頭。以手拱胸取之。

经脉　屬手陽明大腸经。

主治　傷寒振寒。餘熱不盡。胸中煩滿。熱渴。目眩耳痛。瘰癧。喉痹不能言。痎瘧癲疾。繞踝風。手臂紅腫。肘中痛。半身不遂。刺風癮疹。筋緩捉物不得。風臂肘細無力。屈伸艱難。皮膚乾燥。頭痛手不可舉。肘節痠重。腕外側痛。如脫如拔。婦人經水不行。

性質　清氣血表裏及頭面諸竅之熱。搜周身風邪。行血氣。理風寒。

手術　鍼五分至一寸。灸三壯。以至數十壯。

別名　鬼臣。陽澤。

証　(玉龍歌)偏補曲池瀉人中。(百証賦)半身不遂。陽陵遠達於曲池。發熱仗少衝曲池之津。(標幽賦)肩井曲池。甄權刺臂痛而復射。(席弘賦)曲池兩手不如意。合谷下鍼宜仔細（馬丹陽十二訣）善治肘中痛。偏風手不收。挽弓開不得。筋緩怕梳頭。喉閉促欲死。發熱更無休。遍身風癬癩。鍼着即時瘳。（肘後歌）鶴膝腫痛難移步。尺澤能舒筋骨疼。更有一穴曲池妙。（又）腰背苦患攣急風。曲池一寸五分攻。（勝玉歌）兩手痠重難執物。曲池合谷共肩髃。（雜病穴法歌）頭面耳目口鼻病。曲池合谷為之主。

附記

此穴乃手陽明大腸經之脉。所入為合。秦承祖明堂云。主治大人小兒遍身瘡癩疥。神農經云。治手肘臂膊疼細無力。半身不遂。發熱。胸前煩滿。可灸十四壯。千金云。此穴為十三鬼穴之一。可治百邪癲狂鬼魅等患。

三里 口

解剖 在橈骨上緣之外部。膊橈骨筋与長外橈骨筋之向。下層有迴旋後筋。長屈拇筋。循橈動脈。及頭靜脈。分布橈骨神經之後枝。及外膊皮下神經。

部位 在曲池下三寸銳肉之端。按之肉起。

經脈 屬手陽明大腸經。

主治 中風口癖。手足不遂。五勞虛乏羸瘦。霍亂。遺失。失音。齒痛頰腫。瘰癧。手臂不仁。肘攣不伸。半身不遂。乳癰。

手術 鍼三分。灸五壯。

別名 手三里。

考證 （席弘賦）腰背痛連臍不休。手中三里便須求。下鍼麻重即須瀉。得氣之時不用留。（又）手足上下鍼三里。食癖氣塊憑此取。（百證賦）手臂頑麻。少海就傍於三里。

(通玄賦)肩背通治三里宜。(勝玉歌)臂痛背疼鍼三里。(雜病穴法歌)頭風目眩項捩強，申脈金门手三里，(又)手三里治肩連臍。(又)手三里治舌風舞。

上廉 口

解剖　在橈骨小頭下部。膊橈骨筋與長外橈骨筋之間，有長屈拇筋。循尺骨動脈之分枝。中頭靜脈。橈骨動脈。分布外膊皮下神經。橈骨神經。

部位　在三里下一寸。曲池下三寸。微向外斜。

經脈　屬手陽明大腸經。

主治　腦風頭痛。咽痛。喘息。半身不遂。腸鳴氣走。小便黃澀。大腸氣滯。手足不仁。淋疾。

性質　主瀉胃中之熱。

手術　鍼五分以至七分。灸五壯。

下廉　口

解剖　在橈骨小頭前下部。腓橈骨筋與長外橈骨筋之間。有長屈拇筋。循橈骨動脈。分布橈骨神經。及外腓皮下神經。

部位　在上廉下一寸。距腕後六寸餘。微向外斜。

經脈　屬手陽明大腸經。

主治　勞瘵狂言。頭風痺痛。飧泄。小腹滿。小便血。小腸氣。面無顏色。痃癖腹痛不可忍。食不化。氣喘涎出。乳癰。肘臂痛。

性質　主瀉胃中之熱。

手術　鍼三分以至五分。灸五壯。

溫溜 口

部位 在膊橈骨節。中長外橈骨節之間。有長外轉拇筋。循骨動脈之分枝。有頭靜脈。分布橈骨神經。及外膊皮下神經。

在下廉下一寸。去腕後五寸餘。小士五寸。大士六寸。（大士小士。謂大人小兒也。明堂云。去腕後五六寸之間。）

經脈 屬手陽明大腸經。

主治 傷寒寒熱頭痛。喜笑狂言見鬼。噦逆吐味。噎膈氣閉。口舌腫痛。喉痹。四肢腫。腸鳴腹痛。肩不得舉。肘腕痠痛。面浮腫。口渴。癰疔。

手術 鍼三分。留三呼。灸三壯。

考証　（百証賦）傷寒項強。溫溜期門而主之。

別名　逆注。蛇頭。

附記　此穴乃手陽明大腸經之郄。

偏歷　口

解剖　在總指伸筋腱。而拇指伸筋腱之間。此處為短伸拇筋。循橈骨動脈。頭靜脈。分布橈骨神經之後枝。而外膊皮下神經。

部位　在腕後三寸。

經脈　屬手陽明大腸經。

主治　瘧癘寒熱。癲疾。多言。目視𥉂𥉂。耳鳴喉痺。口渴咽乾。鼻衄齒痛。汗不出。

手術　鍼三分。留七呼。灸三壯。

考証　（標幽賦）刺偏歷利小便。醫大人水蠱。

附記　此穴乃手陽明大腸經之絡。別走入手太陰肺經者。

陽谿　口

解剖　在舟狀骨橈骨之間。橈腕關節外面之陷中。當短伸拇筋與長伸拇筋之間。循橈骨動脈。頭靜脈。分布橈骨神經。及外膊皮下神經。

部位　在手腕橫紋上側。兩筋陷中。直與合谷對。

經脈　屬手陽明大腸經。

主治　熱病狂言。喜笑見鬼。煩心。掌中熱。目赤翳爛。厥逆頭痛。寒熱痎瘧。嘔沫。喉痺。耳鳴齒痛。驚掣肘臂不舉。痂疥。胸滿不得息。吐舌。心痛身熱半身麻痺。

手術　鍼二分。留七呼。灸三壯。

別名　中魁。

考記　(席弘賦)牙疼腰痛兼喉痺。二間陽谿疾怎逃。(百症賦)肩髃陽谿。消陰中之熱極。

附記　此穴為手陽明大腸經之脈。所行為經。

合谷　口

解剖　在第一掌骨和第二掌骨之歧間中央部。長伸拇筋和總指筋之腱膜間。循橈骨動脈。分布橈骨神經。

部位　在大指次指歧骨間陷中。又名虎口。

經脈　屬手陽明大腸經。

主治　傷寒大渴。脈浮在表。發熱惡寒。頭痛脊強。風疹寒熱。痎瘧。熱病汗不出。偏正頭痛。面腫。目翳。唇吻不收。瘖不能言。口噤不開。腰脊引痛。痿躄。小兒乳蛾。一切齒痛。鼻衄。喉痹。鼻出清涕。疥瘡。耳聾耳鳴。

性質 升氣。降氣。行氣。宣氣。並清氣分及頭面諸竅之熱。

禁忌 婦人妊娠不可刺。恐損胎氣。

手術 鍼三分以至五分。留五呼。灸三壯。

別名 虎口

考証 (蘭江賦)傷寒無汗補復溜。汗多宜將合谷收。(席弘賦)手連肩脊痛难忍。合谷太衝隨手取。(又)曲池兩手不如意。合谷下鍼宜仔佃。(又)睛明治眼未效時。合谷光明安可缺。(又)冷嗽先宜補合谷。却須鍼瀉三陰交。(百証賦)天府合谷。鼻中衄血宜追。(天星秘訣)寒瘧面腫及腸鳴。先取合谷後內庭。(四總訣)面口合谷收。(馬丹陽十二訣)頭疼并面腫。瘧病熱還寒。齒齲及衄血。口噤不開言。(附後歌)口噤眼合藥不下。合谷一鍼效甚奇。(又)傷寒不汗合谷瀉。(勝玉歌)兩手痠重难执物。曲池合谷共肩顒。(雜病穴法歌)頭面耳目口鼻病。曲池合谷為之主(又)赤眼迎香出血奇。臨泣太衝合谷侶。(又)耳聾臨泣与京门。合谷鍼後聽人語。(又)鼻塞鼻痔及鼻淵。合谷太衝隨手取。(又)舌上生瘡合谷当。(又)牙風面腫頰車神。合谷臨泣瀉不數。(又)手指連肩相引疼。合谷太衝能救苦。(又)冷嗽先宜補合谷。(又)痢疾合谷三里宜。(又)婦人通經瀉合谷。

此穴乃手陽明大腸經之脈。所過為原穴。神農經云凡鼻衄。目痛不明。牙疼。喉痺。疥瘡。均可灸三壯。以至七壯。千金云產後脈絕不還。鍼合谷入三分。急補之。

附記

(文)云。曲池兼合谷。可瘉头痛。

三間 口

解剖 在示指伸筋之外缘。循指掌動及头部脉。分布橈骨神經。

部位 在食指内側本節後。第二掌骨端之凹陷部中。

經脉 属手陽明大腸經。

主治 齆衄。熱病。喉痹咽痛。咽中如鲠。氣喘多吐。唇焦口乾。下齒齲痛。目眥急痛。眼瞼癢痛。目上腫。吐舌捩頸。嗜卧。胸腹满。腸鳴洞泄。寒熱瘧。伤寒氣熱。身寒善驚。燥煩。舌肥大。

手術 鍼三分。留三呼。灸三壯。

别名 少谷。

考証 （席弘賦）更有三間腎俞妙。善治肩背浮風勞。（百証賦）目中漠々。即尋攢竹三間。

附記 此穴乃手陽明大腸経之脉，所注為俞。（甄經云）可治身熱氣喘。口乾目急。

二間 口

解剖 在從指伸節之附着部。循指背動脉。乃头静脉。分布橈骨神経之皮下枝。

部位 在食指内側本節前，即第三節之近関節処。

経脉 属手陽明大腸経。

主治 頷腫喉痹。肩背臑痛。鼽衄。齒痛，舌黄口乾。口眼歪斜。飲食不思。振寒。伤寒水结。多驚。

手術 鍼二三分。留六呼。灸三壯。

别名　間谷。

考証　（席弘賦）牙疼腰痛並咽痹。二间陽谿疾怎逃。（百証賦）寒慄悪寒。二间疏通陰郄諳。（天星秘訣）牙疼头痛兼咽痹。先刺二间後三里。（玉龍歌）牙疼陣々苦相煎。穴在二间要得傳。

附記　此穴乃手陽明大腸經之脉。所溜為滎。

商陽　口

解剖　在總指伸筋末端附着部。循指背動脉。及头静脉。分布橈骨神經之指背枝。

部位　在食指内側爪甲角。如韮葉处。

經脉　属手陽明大腸經。

主治　傷寒熱病汗不出。耳鳴耳聾。痎瘧。胸中氣滿。喘咳口乾。

頤腫齒痛。青盲。惡寒。肩背肢臂腫痛。急引缺盆中痛。喉痛。

性質　出血能清血熱

手術　鍼一分。留一呼。灸三壯。

別名　絕陽。

考記　(百症賦)寒瘧兮。商陽太谿驗。

此穴乃手陽明大腸經之脈。所出為井。乾坤生意云。此為十井穴之一。治中風猝倒。卒暴昏沉。痰盛不省人事。牙関緊閉。药水不下。急以三稜鍼出血之。又云頷腫喉痹。齲齦齒痛。可灸三壯。一云治青盲可灸三壯。右取左。左取右。

附記

(五)自上膊後側之中部。經尺骨鶯嘴突起。至無名指之外側指端之線九十二穴。

消濼 口

解剖　在上膊骨結節之後下方。螺旋狀溝部。有三頭膊筋。橈骨動靜脈。中頭靜脈。及後廻旋上膊動脈枝。分布後膊皮下神經。及橈骨神經。

部位　在肩下臂外間。臑會下二寸。

經脈　屬手少陽三焦經。

主治　風痺。頸項強急腫痛。不可左右顧。寒熱頭痛。肩背急。頸有大氣。癲癇。

手術　鍼五分。灸三壯。

附記　罔考云。一傳海南治牙疼。灸此穴愈。

清冷淵 口

解剖　在上膊之側。鷹嘴突起之尖端，上方三頭膊筋内緣。循下尺骨副動脈。分布内膊皮下神经。及尺骨神经。

部位　在肘上三寸。伸手舉臂取之。

经脈　屬手少陽三焦经。

主治　諸痺痛。肩臂肘臑不能舉。頭痛振寒。目黄頭痛。

手術　鍼三分。灸三壯。

别名　清冷泉。青昊

天井　口

解剖　在上膊之後面。鷹嘴突起之上方。三頭膊筋腱之内緣。循肘关節動脈網。及尺骨動脈。分布内膊皮下神经。及尺骨神经。

部位　在肘外大骨尖後。兩筋間陷中。即肘尖上二寸。屈肘

經脈　得之。

主治　屬手少陽三焦經。咳嗽上氣。胸痛不得語。唾膿不嗜食。寒熱淒々不得臥。驚悸悲傷。瘈瘲。癲疾。五癎。風痹痿厥。头頸肩背痛。耳聾目銳眥頰肘等腫痛。臂腕不得捉物。及瀉一切瘰癧。瘡疹腫痛。肩肉麻木。中風默々不知所痛。

手術　鍼三分。灸三壯。

參証　〔勝玉歌〕瘰癧少海天井邊。

附記　此穴乃手少陽三焦經之脈。所入為合。

四瀆　口

解剖　在橈骨與尺骨之間。總指伸筋與外尺骨筋間之凌。循骨間動脈。分布橈骨神經之後枝。及下膊皮下神經。

部位　在肘前五寸。外廉陷中。去三陽絡一寸五分。微前五分。

經脈　屬手少陽三焦經。

主治　耳暴聾。下齒齲痛。呼吸氣短。

手術　鍼五分。灸三壯。

三陽絡　○

解剖　在橈骨與尺骨之間。總指筋與小指伸筋之陷中。下層長屈拇筋短屈拇筋。循骨間動脈。分布橈骨神經之後枝乃下膊皮下神經。

部位　在支溝上一寸。臂上大交脈處。

經脈　屬手少陽三焦經。

主治　暴瘖不能言。耳聾齒齲。嗜臥身不欲動。

禁忌　明堂禁鍼。故不可鍼。

手術　灸三壯

別名　通向。

會宗

解剖　在尺骨筋固有小指伸筋之間。總指伸筋部。循後骨間動脈。分布橈骨神經之分枝及後下膊皮下神經。

部位　在腕後三寸空中。支溝外側（偏向小指處）旁開一寸。

經脈　屬手少陽三焦經。

主治　五癇耳聾。肌膚痛。風癇。

禁忌　明堂云禁鍼。故不可鍼。

手術　灸三壯。

附記　此穴為手少陽三焦經之郄。金鑑云。支溝会宗二穴相並。平直空中。相距一寸。

支溝 口

解剖 在橈骨與尺骨之處。從指伸筋與外尺骨筋之向。循向動脈。分布從下膊皮下神經。橈骨神經。正中神經。

部位 在腕後陽池穴後三寸。兩筋骨向陷中。

經脈 屬手少陽三焦經。

主治 熱病汗不出。肩臂痠重。脅腋痛。四肢不舉。霍亂嘔吐。口噤暴瘖。產後血暈不省人事。心痛如錐刺。手足寒至節。不息者死。欬嗽面赤而熱。肘節痺痛。馬刀瘍。瘰癧。

性質 清本經之熱。瀉本經之邪。

手術 鍼三分。灸三壯。

别名　飞虎

考证　（杂病穴法歌）大便虚闭补支沟，泻足三里效可拟。（胜玉歌）筋疼秘结支沟穴。（肘后歌）飞虎一穴通痞气（又两足两胁满难伸。飞虎神灸七分到。

附记　此穴乃手少阳三焦经之脉所行为经。千金云：治颈漏，马刀肿，可灸百壮。一云：三焦相火炽盛，及大便不通，胁肋疼痛等症，俱宜泻之。

外关

解剖　在总伸筋与固有小指筋之间。循从骨向动脉。分布从下膊皮下神经。及桡骨神经之后枝。

部位　在腕后两筋间陷中。与内关穴相对。

经脉　属手少阳三焦经。

主治　耳聾渾渾無聞。肘腕痠重。不得屈伸。五指痛不能握。臂痿不仁不能举。

性質　瀉本经之实邪。

手術　鍼三分灸三壯。

考証　（襍病穴法歌）一切風寒暑濕邪。頭痛發热外關起。

附记　此乃手少陽三焦经之络脈。别走入手厥陰心经者。為八法穴之一。據经云。此穴能通治諸病。

陽池　△

解剖　在尺骨與腕骨之關節部。有總指伸筋。旁小指筋腱。循腕骨背側動脈。分布皮下腈皮下神经。尺骨神经及橈骨神经之分枝。

部位　在表手腕上。横纹陷者中。

經脈　屬手少陽三焦經。

主治　消渴口乾。煩悶。寒熱瘧。或因折傷手腕提物不得。肩臂痛不能舉。熱病汗不出。

禁忌　銅人經言鍼不言灸，故應禁灸。

手術　鍼二分。

別名　別陽。

附記　此穴乃手少陽三焦經之脈所過為原。神農經云。治手肘疼痛無力。不能上舉至頭。可灸七壯。

中渚　口

解剖　在第四掌骨之前下方。小指側之骨間陷中。循第四骨間指背動脈。分布尺骨神經之手背枝。

部位　在無名指小指本節後間陷中。去液門一寸。握拳取之。

經脈 屬手少陽三焦經。

主治 熱病汗不出。臂指痛不得屈伸。頭痛頭重。目眩生翳。目䀮䀮不明。耳痛耳聾。咽腫。久瘧。手臂紅腫。頷顱熱痛。惡風寒。

鍼三分，灸三壯。

手術 (玉龍歌)手臂紅腫連腕疼，液門穴內用鍼明。更有一穴名中渚，多瀉中間疾自輕。(席弘賦)久患傷寒肩背痛，但鍼中渚得其宜。(肘後歌)肩背諸疾中渚下。(勝玉歌)脾疼背痛中渚瀉。(雜病穴法歌)脊間心後痛中渚。(通玄指要賦)脊間心後痛，鍼中渚而立痊。(灵光賦)五指不伸取中渚。(玉龍賦)手臂紅腫。中渚液門要辨。

參記 。

附記 此穴乃手少陽三焦之脈所注為俞。太乙歌云。鍼久患腰疼背痛。一云手臂紅腫瀉之出血。

液門 口

解剖 在小指之內側，總指伸筋腱中。循第四骨间指背動脈。分布尺骨神經之手背枝。

部位 在小指次指之间合縫處陷中。握拳取之。

經脈 屬手少陽三焦經。

主治 驚悸妄言。寒厥臂痛，不得上下。瘧疾寒熱。头痛目眩。赤澀淚出。耳暴聾。咽外腫。牙齦痛。面赤热。

手術 鍼三分。灸三壯。

參証 （玉龍歌）手臂紅腫連腕疼。液门穴内用鍼明。（玉龍賦）手臂紅腫。中渚液门要辨。（百症賦）喉痛兮。液门魚際去療。

附記、此穴乃手少陽三焦經之脈。所留為榮。千金云。耳聾不得眠。鍼入三分補之。一云。手臂紅腫出血瀉之。

關衝　口

解剖　在無名指骨第三節之内側。爪甲之茂生根部。即從指伸筋之附着部。有固有小指筋。循骨向手背動脈。分布尺骨神經之手背枝。

部位　在無名指外側。爪甲角如韮葉處。

經脈　屬手少陽三焦經。

主治　頭痛口乾。舌卷喉痺。霍亂。胸中氣噎不食。肘臂痛不能舉。肘外廉痛。肘疼不能自帶衣。煩心之悶痛。掌中熱。身熱如火。目昏之。月生白翳。

性質·清邪热。理三焦。

手術 鍼一分。留三呼。灸三壮。

考証 （玉龍歌）三焦热氣壅上焦。口苦舌乾岂易調。鍼刺关衝去毒血。口生津液病俱消。（百証賦）哑门关衝。舌缓不語而要緊。

附記· 此穴乃手少陽三焦经之脉。所出為井。捷径云。治热病烦心。满闷汗不出。掌中大热。如火。舌本痛。口乾消渴。久热不去大效。一云三焦邪热。口渴唇焦。口氣。應瀉此出血。乾坤生意云。此為十井穴。同治肺经。一云丹初中風。卒仆昏沉。痰涎壅盛。不省人事。牙关紧闭。药不下。急以三稜鍼。刺各井出血。使氣血流通。乃起死回生之急救妙法。

(六)上膊後側之下部。自上膊骨內上髁。前尺骨鷹嘴突起之間。至小指側爪端之線。凡八穴。

小海　口

解剖　在三头膊筋间。即上膊骨前尺骨之中间鹰嘴突起之後側。尺骨節起始部。循下尺骨副動脈。分布尺骨神經之主幹。及橈骨神經枝。

部位　在尺骨鷹嘴突起之上端。去肘尖五分陷中。即肘内側大骨外。去肘端五分。屈手向头取之。

經脈　屬手太陽小腸經。

主治　肘臂肩臑頸頷項等痛。齒根腫痛。寒熱風眩。瘍腫。小腹痛。五癇瘈瘲。目黃。

手術　鍼三分。留七呼。灸三壯以至七壯。

附記　此穴乃手太陽小腸經之脈所入為合一云專主肘臂痛。

支正　口

解剖　在尺骨後面之中央。外尺骨筋中。此處為總指伸筋。峙出前膊骨動脈之分枝。循骨向動脈。分布尺骨神經。尺中膊皮下神經。後下膊皮下神經。

部位　在腕後外廉五寸。

經脈　屬手太陽小腸經。

主治　五勞癲狂。驚風寒熱。頷腫項強。頭痛目眩。風虛驚恐悲愁。腫背疲。四肢無力。肘臂不能屈伸。指痛不能握。面赤。健忘。

手術　鍼三分。灸三壯。

考証　（百証賦）目眩兮。支正飛揚。

附記　此穴乃手太陽經之絡脈。別走入手少陰心經者。

養老　口

解剖　在尺骨莖狀突起之正中部。當外尺骨筋腱之側。循腕骨背側動脈。及尺骨動脈之背枝。分布尺骨神經。

部位　在手外踝骨上一空。腕後一陷中。去陽谷斜向外。手踝骨之上手腕後一寸處。宜屈手取之。則骨開而孔露。

經脈　屬手太陽小腸經。

主治　肩臂痠痛。肩欲折。臂欲拔。手不能自上下。目視不明。

手術　鍼三分。灸三壯。

考証　（百証賦）目覺䀮䀮。急取養老天柱。

附記 此穴為手太陽小腸經之郄。一云。療腰痛不可轉側。起坐艱难。及筋攣脚痺不可屈伸。

陽谿 口

解剖 在尺骨莖狀突起之下際。周有小指筋之內部有廻前大筋。深層指筋。循腕背背側動脈。分布尺骨神經之手背枝及內膊皮下神經。

部位 在手外側腕中。銳骨之下陷中。即手腕側之两髁间。去腕骨穴一寸二分处。

經脈 属手太陽小腸經。

主治 癲疾發狂。妄言左右顧。热病汗不出。脇痛项腫。耳聾。耳鳴。頷頰腫齒痛臂不举。小兒瘈瘲舌强。

手術 鍼三分。留二呼。灸三壮。

考证　（百症賦）陽谷俠谿頷腫口噤並治。

附记　此穴乃手太陽小腸經之脈所行為經。

腕骨　口

解剖　在第五掌骨腕骨之間。外尺骨筋之停止部。於外材小指伸筋中。有豆骨掌骨韌帶。循腕骨背側動靜二脈。分布尺骨神經之分枝。

部位　在手外側腕前。起骨下陷中。即踠豆骨側之旁側。握拳向內取之。

經脈　屬手太陽小腸經。

主治　熱病汗不出。脅下痛不得息。頸項腫。寒熱耳鳴。目出冷淚。目生翳。狂惕。偏枯。肘臂不得屈伸。瘈瘲。煩悶。头痛。驚風。瘛瘲。五指掣。

手術 鍼三分。留三呼。灸三壯。

考証 （通玄賦）固知腕骨祛黃。（玉龍歌）腕中無力痛艰难。握物难移体不安。腕骨一鍼虽見效。莫將補瀉等闲看。（又）脾疾之症有多般。致成翻胃吐食难。黃疸亦須尋腕骨。金鍼必定奪中脘。（雜病穴法歌）腰連腿疼腕骨升。三里降下隨拜跪。

附記 此穴乃手太陽小腸經之脈。所過為原。

後谿·口

解剖 在第五掌骨内側部之前下方。短小指屈筋之旁。有外轉小指筋。循指背動脈。及重要静脈。分布尺骨神經之分枝。

部位 在小指外側本節後。横纹尖上陷中。即第五掌骨之前外端。仰手握拳取之，適当拳尖處。一云在手腕前外側，拳尖起骨下陷中。

經脉 屬手太陽小腸經。

主治 痎瘧寒熱，目翳目眥爛。鼻衄鼻塞，耳鳴耳聾，胸滿頭強。癲癇，臂攣急。五指盡痛，肩臑痛，身寒泣出。熱病汗不出。身熱惡寒。喘驚。疥瘡。黃疸。

性質 清表寒，祛表邪。

手術 鍼三分，留二呼，灸一壯。

考証 (玉龍歌)時行瘧疾最难禁。穴法未未審明。若把後谿穴尋得。多加艾火即時轉。(蘭江賦)後谿專治督脈病，癲狂此穴治還輕。(百証賦)陰郄後谿。治盜汗之多出。(又)後谿環跳。腿疼刺而即輕。(又)治疸消黃，諧後谿勞宮而看。（通玄賦）癎發顛狂兮凴後谿而療理。（肘後歌）脇肋腿痛後谿妙。（勝玉歌）後谿鳩尾及神门。治療五癎立便痊。（玉龍歌）瘟疫痎瘧尋後谿。

此穴乃手太陽小腸經之脉所注為俞。千金云。後谿列缺。可治胸項之痛。神農經云。治項頸不得回顧。臂寒肘痠。可灸七壯。一云。治早食午吐。午食晚吐。可灸此左右二穴九壯立愈。

附記、

前谷 口

解剖 在第五指骨第一節基底。與第五掌骨之關節部前内側經小指屈肌之旁有外轉小指筋循背動脉分布尺骨神經之分枝

部位 在小指外側本節前陷中。

經脉　屬手太陽小腸經。

主治　熱病汗不出。痎瘧。癲疾。耳鳴。咽腫喉痺。頸項頰腫引耳後痛。欬嗽。目痛目翳。目上載。鼻塞。衄血吐血。小兒吐乳。臂重痛不樂。婦人手癬。肘腫痛瘦。汗不出。小便赤。產後乏乳。

手術　鍼一分。灸一壯。

附記　此穴乃手太陽小腸經之脉所溜為榮。一云。主治熱病汗不出。宜補之。

少澤　口

解剖　在第五指骨第三節内側爪甲之發生根部。總指伸筋腱之停止處。有外轉小指筋。循尺骨動脉之指背枝。分布尺骨神經之分枝。

部位　經脈　主治　性質　手術　別名　考証

在手小指外側端，去爪甲角如韭葉。
屬手太陽小腸經。
瘧。寒熱，汗不出。喉痺舌強。心煩欬嗽。瘛瘲臂痛。項痛不可迴顧。目生翳。反瘵婦人無乳，先瀉後補。口渴口乾。口中熱。唾如膠。小指不用。振寒頭痛。
清邪熱。
鍼一分，留三呼。補一壯。
小吉
玉龍歌：婦人吹乳痛難消。吐血風痰稠似膠。少澤穴內明補瀉。百症賦：攀睛攻少澤肝俞之所。靈光賦：少澤應除心下寒。雜病穴法歌：心痛翻胃刺勞宮，寒者少澤細手指。

洞汇

此穴乃手太陽小腸經之脈所出為井。千金云治耳聾不得眠。宜補之。乾坤生意云。此為十井穴。同治肺經病。一切凡初中風卒暴昏沉。痰涎壅盛。不省人事，急以三稜鍼刺此穴及諸井出血使氣血流通。乃救死回生救急之妙穴。

第九節——下肢部經穴

一）自鼠蹊之中部。經大腿骨內上髁。過內踝之前側。拇趾外側爪端之線。凡十二穴。

陰廉 口

解剖　在恥骨突起之下端。內轉筋之內緣。即鼠蹊部之下。有恥骨筋。循外陰部動脈。分布股神經。及腰鼠蹊神經。閉鎖神經。

部位　在陰部之旁。皮內之下有如核者。名曰羊矢骨。穴即在其下。斜裏三分。去氣衝二寸動脈中。

經脈　屬足厥陰肝經。

主治　婦人不孕。若經水不調。未有孕者。或未經生產者。灸三壯即有孕。凡子宮後屈。子宮歪斜。亦可治之。

手術　鍼六分。灸三壯。

五里　□

解剖　在恥骨突起下端。長內轉筋之內緣。循外陰部動脈。分布股神經。及閉鎖神經。

部位　在陰廉下斜二寸。陰股中動脈。應手處。

經脈　屬足厥陰肝經。

主治　腸風熱閉不得溺。風勞嗜臥。四肢不能舉。

手術　鍼六分。灸三壯。

陰包　□

解剖　在大腿內側上髁上方。四頭股筋之內緣。有內大股筋。循外迴旋股動脈。及上外膝關節動脈。分布內股皮下神經。

部位 在膝上四寸。股内廉之两筋间。蜷足取之。看膝内侧有槽者為真。

經脈 屬足厥陰肝經。

主治 腰尻引小腹痛。小便難。遺尿不禁，月水不調。

手術 鍼六分灸三壯

考証 (附從歌)中滿如何去得根。陰包穴刺效如神。

附記 圖考云。此穴為足厥陰肝經之別走者。

曲泉 口

解剖 在脛骨内側節髁下際。半腱半膜様筋之停止部。循膝關節動脈。分布脛骨神經。及薔薇神經。

部位 在膝内輔骨下。大筋之上。小筋之下。陷者中。屈膝横紋頭取之。

經脈　屬足厥陰肝經。

主治　癀疝陰股痛。小便難。少氣洩瀉。下利膿血腸脇支滿。膝痛筋攣。四肢不舉。不可屈伸。風勞失精。身體痛極。膝脛冷。陰莖痛。實則身熱目眩痛。汗不出。目䀮䀮。發狂衄血。喘呼痛引咽喉。女子陰挺出。少腹腫痛陰痒。血瘕。男子陰頸痛。陰腫節痛。

性質　清血涼血養血補血理血寒益肝。驅腹內諸寒。

手術　鍼七分。灸三壯。

考証　(席弘賦)男子七疝小腹痛。血海陰交曲泉鍼。更不應時求氣海。關元同瀉效如神。(肘後歌)風痺痿厥如何治，大杼曲泉真是妙。

附記　此穴乃足厥陰肝經之脈所入為合。

膝関 口

解剖 在胫骨内側之上部。即腓腸筋部。有腓腸筋。循膝関節動脉。及胫骨動脉。分布胫骨神經。及薔薇神經。

部位 在内犢鼻下二寸旁。向裏横開寸半之間陷中。

經脉 属足厥陰肝經。

主治 風痹膝内腫痛。引髕不可屈伸。及寒溼走注。白虎歷節風痛。不能舉動。咽喉中痛。

手術 鍼四分。灸五壯。

中都 口

解剖 在胫骨部。有胫骨筋。比目魚筋。循横胫骨動脉。分布胫骨神經。

部位 在内踝上七寸胻骨中。膝関下四寸。

經脈　屬足厥陰肝經。

主治　腸痳癀疝。少腹痛。足下熱。足脛寒不能久立。湿痹不能行。婦人崩中。產後惡露不絕。

手術　鍼三分。灸五壯。

別名　中郄

附記　此穴乃足厥陰肝經之郄。

蠡溝　口

解剖　在脛骨之內面。有脛骨筋帛比目魚筋。循後脛骨動脈。分布脛骨神經。

部位　在足內踝上五寸。中都下一寸。

經脈　屬足厥陰肝經。

主治　疝痛。小腹滿痛。癃閉。臍下積氣如杯。數噫。恐悸。少氣足脛寒痠。屈伸難艱！。腰背拘急。不可俯仰。月經不調。女子溺下赤白。淫帶。時多時少。腹中痛悒悒不樂。咽中悶如息肉狀。腹暴刺痛。小便不利。

性質　瀉本經之實。祛本經之熱。

手術　鍼三分。灸三壯。

異名　交儀。

考証　（十二經主客原絡訣）胸脇肋疼足不舉。面体不澤头目疼。缺盆腋腫汗如雨。頸項癭瘤堅似鐵。瘧寒熱連骨髓。以上病症何治之。須向卯罅蠡溝取。

附記　此穴乃足厥陰肝經之絡。別走入手少陽三焦經者。

中封　口

解剖　在第一楔狀骨內側。舟狀骨節之上部。前脛骨筋腱之外側。循前內踝動脈。及前脛骨動脈之枝。布內附骨動脈。分布大薔薇神經。及深腓骨神經。

部位　在內踝前一寸。微下些。筋裡宛宛中。屈足見踝前下面有陷凹處便是。

經脈　屬足厥陰肝經。

主治　痎瘧。色蒼蒼如死狀。善嘆息振寒。溲白。大便难。小腹腫痛。五淋。足厥冷。不嗜食。身体不仁。寒疝痿厥。筋攣失精。陰縮入腹。引腰中痛。咽乾善渴。身黃。有微熱。少氣身重。內踝前痛。膝腫痹厥。咽偏腫。食不可下。

性質　理本經之虛實。

手術　鍼四分。灸三壯。

別名　懸泉。

考証 （勝玉歌）若人行步苦艰难。中封太衝鍼便痊。（玉龍歌）行步艰难疾轉加。太衝二穴效堪誇。更鍼三里中封穴。去病如同用手抓。

附記 此穴乃足厥陰肝經之脉。所行為經。

太衝 口

解剖 在第一第二蹠骨與第一楔狀骨関節之前部。長伸蹞筋與短伸蹞筋之间。有前脛骨筋。循趾背動脉分布浅腓骨神經。及内足蹠神經。

部位 在行间後一寸五分。動脉应手陷中。

係脈 屬足厥陰肝經。

主治 虚劳呕血。恐懼氣不足。顏面蒼色。呕逆發寒。肝瘧令人腰痛。咽乾口渴。胸脇支滿。大息。浮腫。小腹滿。腰引

小腹痛。足寒。大小便难。陰痛遺溺。溏泄。小便不利欲
如淋。小腹疝氣。腋下馬刀瘍瘻。胻痠踝痛。女子月水
不通。或漏血不止。小兒卒疝。唇腫喉中鳴。

性質 調肝養血。通經引瘀。降氣祛邪。舒筋鎮驚，止崩漏。

手術 鍼三分灸三壯。

考証 (席弘賦)手連肩脊痛难忍。合谷鍼时要太衝。(又)腳痛
膝腫鍼三里，懸鐘二陵三陰交。更向太衝須引氣。指
頭麻木自輕飄。(又)咽喉最急先百會，太衝照海及陰
交。(標幽賦)心脹咽痛。鍼太衝而必除。(通玄賦)行步难
移。太衝最奇。(勝玉歌)若人行步苦艰难。中封太衝鍼
便痊。(肘後歌)股膝腫起瀉太衝。(雜病穴法歌)赤眼迎
香出血奇。臨泣太衝合谷侶。(又)鼻塞鼻痔及鼻淵。合

附记

谷太冲隨手取。（又）舌裂出血尋內關。太冲陰交走上部。（又）手指連肩相應疼，合谷太冲能救苦。（又）七疝大敦與太冲。（玉龍賦）行步難禁，刺三里中封太冲。（馬丹陽十二訣）動脈生死。能醫驚癇風，咽喉並心脹，兩足不能行，七疝偏墜腫，眼目似雲蒙，亦能療腰痛。針下神功。

此穴乃足厥陰肝經之脈所注為俞。神農經云，治寒濕脚氣疼，行步艱難，可灸三壯。

編者按：此穴一云在足大趾本節後一寸五分內向陷中者，動脈應手處。一云在足大趾本節後行向上二寸內向。有絡亘連至地五會二寸骨罅向，動脈應手陷中。此二說俱屬不甚準確。其實居於足大趾本節以二寸許。下有一孔隙如豆大。乃為真穴耳。

行向　口

解剖　在第一及第二蹠骨間腔。內轉拇筋之附着部。循趾背動脈。分佈於腓骨神經及足內蹠神經。

部位　在大趾次趾合縫後至分動脈陷中。即大趾次趾歧骨間。上下有筋。前後有小骨尖。其穴正居陷中。有動脈應手是。

經脈　屬足厥陰肝經。

主治　嘔逆欬血。心胸痛。色蒼蒼如死狀。腹脇脹。中風口喎。咽乾煩渴。瞑不欲視。目中淚出。太息。短氣。癲疾。肝積。肥氣。痎瘧。洞泄。遺水。婦人月事不利。或崩漏白濁。寒疝。小腹腫。腰痛不可俯仰。小兒驚風。四肢逆冷。莖中

性質　痛。心悲不樂。

主治　行瘀破结。

考証　鍼三分。灸二壯。

(百証賦)雀目肝氣。睛明行间而细推。(又)行间湧泉。治消渴之腎竭。(通玄賦)行间治膝腫目疾。(雜病穴法歌)脚膝諸痛羡行间。(勝玉歌)行间可治膝腫病。

附記　此穴乃足厥陰肝経之脉所留為荣。凡失尿不禁者。可灸七壯。千金云。小兒重舌。灸行间隨年壯。又云莖中痛。宜灸五十壯。

大敦　口

解剖　在第一趾骨。第二节関節部外側。有長大趾伸筋。循趾背動脉。分布趾骨神経之终枝。及浅腓骨神経。

部位　在足大趾端。爪甲角後叢毛中。接之有陷中。一云在足大趾端爪甲角後。内側為隱白。外側為大敦。

經脈　屬足厥陰肝經。

主治　卒心痛汗出。腹脹腫滿中熱喜寐。五淋七疝。小便頻數不禁。陰痛引小腹。陰挺出。血崩不止。尸厥如死。陰头中痛。陰上縮入腹。陰偏大。腹臍中痛。悒悒不樂。目不欲視。大便閉。小便不得。

性質　通經行瘀。養血清血。益肝降氣。溫下元。祛邪舒筋。

手術　鍼一分。灸三壯。

參記　（玉龍歌）七般疝氣取大敦。（席弘賦）大便閉塞大敦燒。（百証賦）大敦照海。患寒疝而善蠲。（玉龍賦）期門大敦，能治堅痃疝氣。（又）取大敦于照海。嘗腹積之塊。（通玄賦）大敦能除七疝之偏墜。（雜病穴法歌）七疝大敦與太衝。（又杰）閉氣閉先長強。大敦陽陵堪調護。（天星秘訣）小腸氣痛先長強。後刺大敦不用忙。（勝玉歌）灸罷大敦除疝氣。

附記

此穴乃足厥陰肝經之脈。所出為井。凡疝氣腹脹足腫者。皆宜灸之。以瀉肝木。則脾胃之土自安矣。又治五淋灸三十壯。又失尿不禁。灸七壯。小兒灸一壯。

（二）自大腿前內側之中部。經膝蓋骨之內側。過內髁之中部。至踇趾之內側爪端之線。凡十一穴。

箕門 ○

解剖 在大腿骨內部。即大內股筋之部分。有縫匠筋傳股節。及內大股筋。循股動脈。及上膝關動脈。分布皮下神經。閉鎖神經。及股神經。

部位　在魚腹上。兩筋間。陰股內廉。動脈應手處血海上六寸。陰市之內。

經脈　屬足太陰脾經。

主治　五淋。小便不通。遺溺。鼠鼷腫痛。

禁忌　銅人言灸不言鍼。

手術　鍼三分。灸三壯。

附記　此穴一云在股上起筋間。甲乙經言可刺三分。手術條下云鍼三分者。乃根據甲乙經而言也。

血海　口

解剖　在大腿骨前內下部。即內大股筋之下部。有內大股筋。循膝關節動脈。分布內股皮下神經。及股神經。

部位　在膝膑上二寸。膝之内側白肉際。即膝蓋骨上。大腿前内側筋间。

經脉　属足太陰脾經。

主治　女子崩中漏下。月事不調。帶下，或血閉不通。逆氣腹脹。

性質　調血

手術　鍼五分。灸三壮。

別名　百蟲窠。

考記　（百證賦）婦人經事常改。自有地機血海。（又）血痃癖兮。衝门血海強。（靈光賦）氣海血海療五淋。（勝玉歌）熱瘡膝内年年發，血海尋來可治之。（雜病穴法歌）五淋血海男女通。

附記：此穴主治腎臟風。兩腿瘡癢濕爛不可当。

陰陵泉 口

解剖 在下腿內側之上位。脛骨頭之関節窩。比目魚筋與腓腸筋三角腔。即二頭股筋之附着部。循反迴脛骨動脈。後脛動脈。分布薔薇神經。脛骨神經及外腓腸皮下神經。

部位 在膝內輔骨下陷中。伸足取之。或屈膝取之。去膝横開一寸餘。與陽陵泉相对。一曰稍高一寸。

經脈 屬足太陰脾經。

主治 霍乱寒熱。胸中熱。不嗜食。喘逆不得臥。疝瘕腹中寒。脇下滿。水脹腹堅。腰痛不可俯仰。陰痛。氣淋。遺精。小便不利。遺尿泄瀉。足膝紅腫。足痺痛。

性質　補脾滋陰。益氣血。固腎精。

禁忌　銅人大成二書。俱言鍼不言灸。

手術　鍼五分。留七呼。灸三壯。

考記　（玉龍歌）膝蓋紅腫鶴膝風。陽陵二穴亦可攻。陰陵鍼透尤收效。紅腫全消見異功。（太乙歌）腸中切痛陰陵調。（席弘賦）陰陵泉治心胸滿。（又）腳氣膝腫鍼三里。懸鍾二陵三陰交。（百證賦）陰陵水分。治水腫之臍盈。（天星秘訣）若是小腸連臍痛。先鍼陰陵後湧泉。（通玄賦）陰陵能開通水道。（雜病穴法歌）小便不通陰陵泉。三里瀉下溺如注。

附記　此穴乃足太陰脾經之脉。所入為合。神農經云。治小便不通。疝瘕。可灸七壯。千金云。小便不禁鍼五分灸隨年壯。又云。治水腫不得臥。可灸百壯。

地機　口

解剖　在脛骨後內緣。即腓腸骨筋之內端。有比目魚筋。循後脛骨之分枝。分布脛骨神經、薔薇神經。

部位　在膝下五分內側骨下陷中。伸足取之。

經脈　屬足太陰脾經。

主治　腰痛不可俯仰。溏泄腹脹水腫。不嗜食。精不足。小便不利。足痺痛。屈伸難。女子癥瘕癩疝。月經痛。

手術　鍼三分。灸三壯。

別名　脾舍。

考記　（百證賦）女子經事常改。自有地機血海。

附記　此穴乃足太陰脾經之郄。

漏谷 △

解剖　在下腿中央之内側。比目魚筋部。即腓腸骨筋之内端。循後脛骨靜枝。分布薔神經。脛骨神經。

部位　在内踝上六寸。骨下陷中。距三陰交三寸處。居地機之下二寸。

經脈　屬足太陰脾經。

主治　腹鳴。腹部膨脹。消化不良。膝痹脚冷麻痹不仁。痃癖冷氣。小腹痛。飲食不為肌膚。小便不利。失精。心悲氣逆。久濕痹不能行。足熱痛腿冷。不能久立。

禁忌　銅人經云禁灸。故不可灸。

手術　鍼三分。

別名　太陰絡。

三陰交 口

解剖 在脛骨後內側。後脛骨与長趾屈筋間之下部，循後脛骨動脈。分布薔薇神経。及脛骨神経。

部位 在內踝上三寸。骨下陷中。伸下腿於前取之。

經脈 屬足太陰脾經。

主治 脾胃虛弱，心腹脹滿。不思飲食。脾病身重。四肢不舉。飧泄血痢。血崩。臍下痛不可忍。中風卒厥。不省人事。膝內廉痛。足痿不行。女子漏下不止。喉痺頸項滿。脇痔。氣逆。痔血。陰莖痛。鼻衄。夢洩。腳氣

性質 行氣降氣。通經行瘀。清血生血。涼血固血。補三陰。壯元陽。益腎精。溫中下焦。理一切寒。清熱捜風。

禁忌 孕婦禁鍼。

手術　鍼三分。留七呼。灸三壯。

別名　承命。太陰。

考記　(玉龍歌)寒湿脚不可熬。先鍼三里及陰交。(百証賦)鍼三陰于氣海。專司白濁從遺精。(席弘賦)冷嗽先宜補合谷。卻須鍼瀉三陰交。(又)脚痛膝腫鍼三里。懸鍾二陵三陰交。(又)小腸氣痛連臍。速瀉陰交莫再遲。(天星秘訣)脾病血氣先合谷。後鍼三陰交莫遲。(又)胸膈痞滿先陰交。鍼到承山飲食美。(雜病穴法歌)舌裂出血尋內関。太衝陰交走上部。(又)冷嗽先宜補合谷。三陰交瀉即時住。(又)咽喉陰交不可饒。(又)死胎陰交不可緩。

附記　此穴乃足太陰脾經。與足厥陰肝經。及足少陰腎經三陰脉之交會。故名之曰三陰交。凡女人難產。月水不禁。赤白帶下。宜先瀉後補。如小腸疝氣偏墜木腎腫痛。小便不通。渾浮腫。宜先補後瀉。乾坤生意云。小腸疝氣。鍼大敦陰交。不可緩。圖考云。此穴能落死胎姙娠不可刺。昔有宋太子。善醫術。逢一姙婦。診曰是一女。徐文伯診曰。此一男一女也。太子性急。欲剖視之。文伯曰。臣請鍼之。瀉足三陰交。補手合谷。乃应鍼而落。果如文伯之言。

商邱 口

解剖

在內踝前下部之陷凹中。十字韌帶之下側。前脛骨筋與長伸趾筋之腱間。循內跗骨動脉。及後內踝動脉。分布脛骨神經。及內踝神經。

部位　在內踝骨下微前陷中。

經脈　屬足太陰脾經。

主治　胃脘痛。腹脹腸鳴。不便。脾疼脾熱。脾虛令人不樂。身寒善太息。心悲氣逆。喘嘔舌強。脾積痞氣。黃疸寒瘧。体重支節痛。怠惰嗜臥。痔疾。陰股內痛。狐疝小腹疼痛不可俯仰。痛引陰中。心下有癥。心煩滿骨痹。腸中痛。痔瘡蝕爛。絕子。喜魘夢。

手術　鍼三分。留七呼。灸三壯。

考記　(玉龍歌)脚背疼起丘墟穴。斜鍼出血即時輕。解谿再與商丘識。補瀉行鍼要辨明。(百证賦)商丘痔瘤而最良。(勝玉歌)脚背痛時商丘刺。

附記　此穴乃足太陰脾經之脈。所行為經。神農經云。治脚虛腹脹。胃腸痛。宜灸七壯。

公孫 口

解剖 在第一蹠骨與第一楔狀骨之關節內側，有外轉踇筋及長伸踇筋。循足背動脈。分布薔薇神經。

部位 在足大趾內側本節後一寸。即孤拐骨後赤白肉際陷中。正坐合足掌相对取之。

經脈 屬足太陰脾經。

主治 寒瘧不食。病氣好太息。多寒熱。汗出喜嘔。頭面卒腫。心煩狂言多飲。胆虛腹虛。水腫腹脹如鼓。脾冷胃痛，胃癌。癲癇。

性質 補中運脾陽。理心腹寒。

手術 鍼四分。灸三壯。

考證

(席弘賦)肚痛須是公孫妙。(標幽賦)脾冷胃疼。瀉公孫而立愈。(雜病穴法歌)腹痛公孫內關爾。(八法歌)九種心疼延悶。結胸翻胃难停。酒食積聚胃腸鳴。水食氣疾膈病。臍痛腹疼脇脹。腸風瘧疾心疼。胞衣不下血迷心。泄瀉公孫立應。(十二經主客原絡訣)腹瞋心悶意悽慘。惡人惡木惡燈光。耳聞響動心中惕。鼻衄唇喎瘧又作。棄衣驟步心中熱。痰多足痛與瘡瘍。氣蠱胸腿痛难止。衝陽公孫一刺康。

附記

此穴乃足太陰脾經之絡。別走入足陽明經者。神農經云。治心腹痛灸七壯。截法云。能治心肝脾肺腎胃胆俱瘧。及諸黄疸。

太白 口

解剖　在第一蹠骨末端之内側。楔狀骨结節之下陷凹中。即第一趾骨之第二節後部。與第一蹠骨之間。有外轉拇筋。及長伸拇筋。緣足背動脈。分布脛骨神經之足蹠枝。及腓骨神經。

部位　在足大趾本節後。內側有如梅核骨（即孤拐骨）下陷凹中。赤白肉際處即是。

經脈　屬足太陰脾經。

主治　身熱煩滿。腹脹食不化。嘔吐。泄瀉膿血。腰痛不可俯仰。大便难。氣逆。霍亂腹切痛。腸鳴。膝股胻痠。轉筋身重骨痛。头痛寒熱汗出。熱病头重項痛。

手術　鍼二分至四分。留七呼。灸三壯。

考証　（通玄賦）太白宣導於氣衝。（十二經主客原絡歌）脾經為病舌本強。呕吐翻胃痛腹腸。陰氣上冲噫难瘳。体重脾損心事妄。瘧生振慄兼体羸。秘结疸黄手执杖。股膝内腫厥而疼。太白豐隆取为尚。

此穴乃足太陰脾经之脉。所注為俞。

附記

大都 口

解剖　在蹈趾第一节之前。外转踇筋停止部。循背動脉。分布腔骨神经之足蹠枝。及深腓骨神经。

部位　在大趾本节前第二节後。骨缝白肉際陷中。

经脉　属足太陰脾经。

主治　热病汗不出。不得臥。身重骨痛。伤寒手足逆冷。腹满呕吐。闷乱。腰痛不可俯仰。四肢腫痛。目眩暴泄。霍乱目上戴。心痛腹脹。

手術　鍼三分。留七呼。灸三壯。

歌訣　(席弘賦)氣滯腰疼不能立。橫骨大都宜救急。(百症賦)熱病汗不出。大都更接於經渠。(肘後歌)腰腿疼痛十年春。服藥尋方枉費金。大都引氣探根本。

附記　此穴乃足太陰脾經之脈所溜為滎。凡婦人孕後或新產未及三月者。不宜灸。千金云。治大便難。灸如年壯。霍亂瀉下不止。灸七壯。

隱白 △

解剖　在第一趾第二節之末端內緣。爪甲之發生根部。外轉蹠筋之腱膜中。循足背動脈。分布淺腓骨神經。及內足蹠神經。

部位　在足大趾內側端。去爪甲角如韭葉。

经脉　属足太阴脾经。

主治　腹胀喘满不得卧。呕吐食不下。胸中痛。烦热暴泄。衄血。尸厥不省人事。足寒不得温。妇人月事过时不止。小儿客忤惊风。

性质　井阳甚气。

手术　针一分。灸三壮。

别名　鬼垒。鬼哭。

考证　（百症赋）梦魇不安厉兑相偕于隐白。（杂病穴法歌）尸厥百会一穴美。更针隐白效昭昭。

附记　此穴乃足太阴脾经之脉所出为井。妇人月经过时不止。针之立愈。

（三）於膝关节之内侧。白大腿骨内上髁之后侧。过内踝之后側至足之內緣。更至足蹠之中部緣。凡十穴。

陰谷 口

解剖 在脛骨內側髁之內緣後部。當大股筋連附之處。有半腱樣筋及半膜樣筋。循膝膕動脈枝。分布膝膕神經。股神經。及脛骨神經。

部位 在膝內輔骨之後。大筋之下。小筋之上。按之應手。屈膝中取之即曲線之後橫直一寸餘微下些。

經脈 屬足陰腎經。

主治 舌縱涎下。腹脹煩滿溺難。小腹疝氣引陰。陰股內廉痛。當痿當痹膝痛如離不能久立。或不可屈伸。女人漏下不止。少妊或好小便黃。男如蠱女如妊腹偏腫。脊內廉痛。陰痿陰囊陰莖痛。陰唇腫淋疾。

手術　鍼四分。灸三壯。

考証　（百証賦）中邪霍亂。尋陰谷三里之程。（通玄賦）陰谷治腹臍痛。（太乙歌）利小便。消水腫。陰谷水分與三里。

附記　此穴乃足少陰腎經之脈。所入為合。

築賓　口

解剖　在比目魚筋與腓腸筋下垂部之境。即腓腸筋部。循脛骨動脈。分布脛骨神經。

部位　在足內踝上五寸。三陰交直上二寸。向後開一寸二分。腨上分肉間。

經脈　屬足少陰腎經。

主治　小兒胎疝。痛不乳。癲疾。吐舌。發狂罵詈。腹痛。嘔吐涎沫。足腨痛。中鈆毒。胎毒。絕子不妊。

手術　鍼三分。灸五壯。

附記　此穴乃陰維脉之郄。

交信　□

解剖　在脛骨之後。為長総趾屈筋部。有後脛骨筋。及長総趾伸筋。循後脛骨動脉。分布淺腓骨神經。脛骨神經。

部位　在內踝上二寸。與復溜並立。居復溜之前。三陰交下一寸微後。足少陰腎經之前。足太陰脾經之後。船骨之間。

經脉　屬足少陰腎經。

主治　五淋。㿗疝。陰急。股腨內廉引痛。瀉痢赤白。大小便難。女子漏血不止。陰挺。月事不調。小腹痛。盜汗。水腫病。

性質　調經行血。補腎滋陰。

手術　鍼四分。灸五壯。

考記　（百症賦）女子少氣漏血。不無交信合陽。（肘後歌）腹脊强痛交信憑。

附記　此穴乃陰蹻脉之郄。

復溜　□

解剖　在脛骨後部。有後脛骨筋。及長總趾伸筋。循後脛骨動脉。分布淺腓骨神經。脛骨神經。

部位　在內踝上二寸。距交信後五分。

經脉　屬足少陰腎經。

主治　腸癖痔疾。腰脊內引痛。不得俯仰。善怒。多懈。口舌（乾）涎出。足痿胻寒不得履。目視䀮䀮。腸鳴腹痛腹脹如鼓。四肢腫。十種水病。五淋。自汗注不止。齒齲。脉細微。脚後廉急痛不可前步。足跗上痛。

性質　補腎滋陰。振陽固精。除濕引氣消腫。

手術　鍼三分。灸五壯。

別名　昌陽。伏白。

考記　（玉龍歌）傷寒無汗瀉復溜。（百症賦）傷寒無汗攻復溜宜瀉。（席弘賦）復溜氣滯便離腰。（靈光賦）復溜治腫如神醫。（勝玉歌）腳氣復溜不須疑。（雜病穴法歌）水腫水分兼復溜。（附後歌）瘧疾寒多熱少取復溜。（又）傷寒四肢厥逆冷。復溜寸半順骨行。（又）自汗發黃復溜憑。

附記　此穴乃足少陰腎經之脈。所行為經。

水泉　口

解剖　在跟結節之內側前。上凹陷部。為長總趾屈腱部。有長伸蹈筋。外轉蹈筋，循後脛骨動脈。分布浅腓骨神經。脛骨神經。

部位　在内踝後。太谿下一寸。

經脈　屬足少陰腎經。

主治　目睆々不能遠視。女子月事不來。々即多。心下悶痛。小腹痛。小便淋瀝。腹中痛。陰挺出。

手術　鍼四分。灸四壯。

考記　（百証賦）月潮違限。天樞水泉須詳。

附記　此穴乃足少陰腎經之郄。

照海　口

解剖　在跟骨舟骨狀骨之間隙中。爲外轉蹈筋之上部。循後脛骨動脈。分布脛骨神經。

部位　在內踝之下一寸陷中。一云，在內踝下四分。微高骨陷中。前後有筋。上有踝骨。下有軟骨。其穴居中。

經脉　屬足少陰腎經。

主治　咽乾嘔吐。四肢懈惰。嗜臥。善悲不樂。大風偏枯。半身不遂。久瘧卒疝。腹中氣痛。小便淋瀝。陰挺出。月水不調。陰暴腫。少腹熱而偏痛。淋疾。

性質　通陽蹻。益腎陰。

手術　鍼三分。灸七壯。

示証　（玉龍歌）大便秘結不能通。照海分明在足中。更把支溝來瀉動。方知妙穴有神功。（蘭江賦）噤口喉風鍼照海。（雜病穴法歌）胞衣照海內關尋。（百証賦）大敦照海。患寒疝而善蠲。（席弘賦）若是七疝小腹痛。照海陰交曲泉鍼(通玄賦)四肢懈惰。凴照海以消除。

附記　此穴乃陰蹻脈所出。神農經云。在內踝直下。白肉際處是穴。治月事不行。可灸七壯。凡取此穴。宜令人穩坐。足底相對。在內踝骨下。赤白肉際陷中取之。

太鍾　口

解剖　在阿喜利氏腱(乃腓腸筋及比目魚筋之下端。附着骨跟踵。大之腱之內側陷中。即長總趾屈筋腱。有長腓骨筋。循後脛骨動脈。分布脛骨神經之分枝。

部位　在足跟後踵中。太谿下五分。大骨上兩筋之間。

經脈　屬足少陰腎經。

主治　氣逆煩悶。小便淋瀝。洒洒腰脊強痛。大便秘澀。嗜臥。口中熱。虛則嘔逆。多寒欲閉戶而處。少氣不足。胸脹喘息。舌乾。食噎不得下。善驚恐不樂。喉中鳴。欬吐血。

腹滿便難。多寒少熱。

手術　鍼二分。灸二壯。

考記　(百症賦)倦言嗜臥。往通里大鐘而明。(標幽賦)大鐘治

心内之癡呆。

附記　此穴足少陰腎經之絡。別走入足太陽膀胱經者。

太谿　□

解剖　在內踝與跟骨之中間陷中。為長總趾屈筋腱部。循

後脛骨動脈。分布脛骨神經之分枝。

部位　在內踝後五分。跟骨上動脈陷中。

經脈　屬足少陰腎經。

主治　熱病汗不出。傷寒手足逆冷。嗜臥。欬嗽咽腫。衄血唾

血。溺赤。消癉。大便難。久癃。欬逆。煩心不眠。脈沉。手足冷。嘔吐不嗜食。善噫。腹痛。瘠瘦。寒疝。痃癖。口中如膠。

性質　黄疸。腹中脹腫。心痛如錐刺。

益腎振陽。滋陰利濕。

手術　鍼三分。灸三壯。

別名　呂細。

考証　(王龍歌)紅腫腿足草鞋風。須把崑崙二穴攻。申脈太谿如再刺。神醫妙訣起疲癃(百症賦)寒瘧兮商陽太谿驗。(雜病穴法歌)兩足痠麻補太谿。僕參內庭盤根楚。

附記　此穴乃足少陰腎經之脈所注為俞。神農經云。牙疼紅腫者瀉之。又云。治牙痛可灸七壯。一云陰股內濕癢。生瘡。便毒。宜先補而後瀉之。一云腎瘧嘔吐多寒。閉戶而處。其病難已。太谿大鐘二穴主之。一云腰脊痛。大便難。手足寒。鍼刺太谿委中大鐘等穴愈。

然谷 □

解剖 在舟狀骨與楔狀骨之关节部外轉拇筋與長屈拇筋附着之间。即長屈拇筋之附着部。循後脛骨動脈分布脛骨神经。及内足蹠神经。

部位 在足内踝之前高々下公孫後一寸。

经脈 属足少陰腎经。

主治 喘呼煩滿。欬血喉痹。消渴。舌縱舌下腫。心恐少氣。涎出。小腹脹。痿厥寒疝。足跗腫不得履地。胻痠。足一寒一热。不能久立。男子遗精。婦人陰挺。月経不調不

性質　初生小兒臍風撮口。瘈瘲洞泄。溫瘧汗出。陰上縮。咽喉內腫不能言。

手術　清腎熱。振陽氣。溫下焦。驅寒袪風。鍼三分。灸三壯。

別名　龍淵。然骨。

考証　（百証賦）臍風須然谷而易醒。（雜病穴法歌）腳若轉筋眼發花。然谷承山法自古。

附記　此穴乃足少陰腎經之脈所溜為滎。一云。別於足太陰脾經之郄。凡刺此穴不宜見血。見血能使人立飢

湧泉　□

解剖　在長屈拇筋之外側。短趾屈筋之內側。為轉拇筋部。循後脛骨動脈之末枝。而內足蹠動脈。分布頸骨

神經之末梢。及内足蹠神經。

部位　在足底中央陷中。屈足捲趾宛宛中。即试屈足趾。在足底去跟之后中宛宛處

經脈　屬足少陰腎經。

主治　尸厥面黑。喘欬有血。目視䀮䀮無所見。善恐。心中结热。風疹風癇。心痛不嗜食。男子如蠱。女子如娠。欬嗽氣短。身热喉痹。目眩頸痛。胸脇滿。小便痛腸癖泄瀉。霍亂轉胞不得尿。腰痛大便难。轉筋足脛寒痛。腎積奔豚。热厥。五趾尽痛。足不踐地。婦人無子。咽噎。寒热咽中痛不可食。失音声嘎。黄疸。

性質　補腎益精。滋陰降氣。

手術　鍼三分。灸三壮。

别名

考證

地衝。

（玉龍歌）傳尸勞病最難醫。湧泉出血免災危。（席弘賦）鳩尾能治五般癇。若下湧泉人不死。（又）小腸氣結痛連臍。速瀉陰交莫再遲。良久湧泉鍼取氣。此中玄妙少人知。（百症賦）厥寒厥熱湧泉清。（又）行間湧泉。去消渴之腎竭。（通玄賦）胸結身黃。取湧泉而即可。（灵光賦）足掌下去尋湧泉。此法千金莫妄傳。此穴多治婦人疾。男蠱女孕兩病痊。（天星秘訣）如是小腸連臍痛。先刺陰陵後湧泉。（雜病穴法歌）勞宮能治五般癇。更刺湧泉疾若挑。（又）小兒驚風刺少商。人中湧泉瀉莫深。（肘後歌）頂心頭痛眼不開。湧泉下鍼足安泰。（又）傷寒痞氣結胸中。兩目昏黃汗不通。湧泉妙穴三分許。速使周身汗自通。

附記　此穴乃足少陰腎經之脉所出為井。史記漢北齊王。阿母患足下熱喘滿。淳于意曰此熱厥也。刺足心立愈。千金云鼻衄不止。可灸湧泉二百壯。

(四)自大轉子之前側。經腓骨小頭。过外踝之中部。至第四趾側爪端之線。凡十四穴。

環跳　口

解剖　在大腿骨大轉子與髀臼關節上緣中間之陷部。即臀股部。上層有大臀筋。下層有中臀筋。循上臀動脈分布薦骨神經之皮枝。與上臀神經。

部位　在髀樞中。適京門之下。並兩足而立。腰之下部。有陷凹處是也。側卧伸下足屈上足取之。

經脈 屬足少陽胆經。

主治 冷風湿痺不仁。腰脇相引。胸脇痛無常處。半身不遂腰膝痠痛不得轉側。膝脛痛不得伸屈。遍身風疹。髀樞中痛不可擧。

性質 活絡搜風。

手術 鍼一寸二分。灸廿壯。

附記 (玉龍歌)環跳能治腿股風。(天星秘訣)冷風湿痺鍼何處。先取環跳次陽陵。(百症賦)後谿環跳。腿疼刺而即輕。(標幽賦)懸鍾環跳。華佗刺躄足而立行。(席弘賦)冷風湿痺疾难愈。環跳腰俞用鍼燒。(勝玉歌)腿股轉痠难移步。妙穴說與後人知。環跳風市及陰市。瀉却金鍼病自除。(雜病穴法歌)腰痛環跳委中求。(又)腰連脚痛足生瘡。環跳風市與行间。（又）冷風濕痹鍼環跳。（又）腳連脇腋痛难当。環跳陽陵泉内杵。（馬丹陽十二诀）折腰莫能顧。冷風并濕痹。腿胯連腨痛。转侧重欷歔。若治環跳後。傾刻病消除。

附記　此穴乃足少陽胆経。與足太陽膀胱経二脉之合。

中瀆 ·口

解剖　在大腿之外側。股鞘與大股筋之间。有外大股筋。循外廻旋股動脉。分布外股皮下神経。與上臀神経。

部位　在髀骨外。（環跳直下）屈膝横纹外角。直上五寸。分肉间陷中。

経脉　属足少陽胆経。

主治　寒氣客于分肉间。攻痛上下。筋痹不仁。腳氣。

禁忌　明堂经云。不可灸。

手術　鍼五分。灸三壯。

附記　此穴乃足少陽胆经之络。别走入足厥陰肝经者。

風市　口

解剖　在迴旋股動脉之穿引枝部。有外大股筋。循上膝関節動脉分布前股皮下神经。

部位　在膝上外廉兩筋中。自然垂手直竪腿取之。中指尽處是穴。

经脉　屬足少陽胆经之经外奇穴。

主治　腿膝无力。脚氣。渾身搔癢。麻痺。癘風疮。

手術　鍼五分。灸五壯。

考記　（勝玉歌）腿股转痠难移步。妙穴说与後人知。環跳風市及陰市，瀉却金鍼病自除。（雜病穴法歌）腰連腳痛怎生醫。環跳風市與行間。（百症賦）風市陰市，驅腳氣之乏力。（玉龍歌）風市能治腿股風。居髎二穴在真攻。

陽關 △

解剖 在大腿骨外上髁之上際。四頭股筋停止部之外側。二頭股筋腱之前方。有外大股筋。循上外膝關節動脈。分布股神經之分枝。

部位 在陽陵泉上三寸。犢鼻外陷中。即膝蓋骨之旁。旁筋之間盡處。

經脈 屬足少陽膽經。

主治 風痹不仁。股膝冷痛。不可屈伸。

禁忌 甲乙經云。禁不可灸。銅人經亦云禁灸。故不宜灸。

手術　鍼五分。

别名　关陵。陽陵。关陽。

陽陵泉　口

解剖　在腓骨小头之前下部。長腓骨筋與長總趾伸筋之间。当脛骨之外側。循前脛骨動脉之分枝。及後返迫動脉。與外关節動脉。分布腓骨神經。及股神經。

部位　在膝下一寸。外廉陷中。尖骨前筋骨间之陷凹处。蹲坐取之。

經絡　属足少陽胆經。

主治　偏風半身不遂。足膝冷痺不仁。脚冷無血色。脚氣筋攣。头痛寒热口苦。头面腫。胸脇支滿。心中驚惕。

性質　舒筋利節。使四肢之風。降肝胆之热。温中焦。理脾氣。

行血行氣。導溺通便。
手術　鍼六分。灸七壯。
參記　(玉龍歌)膝盖红腫鶴膝風。陽陵二穴亦堪攻。(席弘賦)
最是陽陵泉一穴。膝间疼痛用鍼燒。(又)脚氣膝腫鍼
三里。懸鐘二陵三陰交。(百证賦)半身不遂陽陵遠達
于曲池。(雜病穴法歌)腳痛只須陽陵泉。(又)腳連腰腋
痛难当。環跳陽陵泉内杵。(又)冷風濕痹鍼環跳。陽陵
三里燒鍼尾。(又)热闭氣閉先长强。大敦陽陵堪调護。
(通玄賦)脇下肋痛者。刺陽陵而即止。(天星秘诀)冷風
濕痹鍼何處。先取環跳次陽陵。(又)脚氣痠疼肩井先。
次尋三里陽陵泉。(馬丹陽十二诀)膝腫並麻木。冷痹及
偏風。举足不能起。坐卧似衰翁。鍼入六分止。神功妙

不同。

附記　此穴乃足少陽胆經之脈所入為合。神農經云治足膝冷痹不仁。屈伸不得。半身不遂。脇肋疼痛。可灸四壯。以至二十一壯。

陽交　口

解剖　一在腓骨小头之前下部。長腓骨筋與長総趾筋之間。有長総趾伸筋。循前經骨動脈之分枝。及後返迴脛骨動脈。分布腓神經。

部位　在外踝上七寸。斜之外廉。屬足三陽肉分之間。

經脈　屬足少陽胆經。

主治　胸滿喉痹。足不仁。膝痛寒厥驚狂。面腫。脚氣。

手術　鍼六分。灸三壯。

別名　別陽。足髎。

附記　此穴乃陽維脈之郄。

外丘　口

解剖　在腓骨與脛骨之間。長趾伸筋與長腓骨筋處。有長腓筋。循前脛動脈。分布淺腓骨神經。

部位　在外踝上七寸。與陽交相並。陽交在前。外丘在後。相隔一節。

經脈　屬足少陽胆經。

主治　頸項痛。胸滿痿痹。癲疾。惡犬傷毒不出。小兒佝僂。惡風寒。

手術　鍼三分。灸三壯。

附記　此穴乃足少陽胆經之郄。

光明 口

解剖　在腓骨之前緣。長總趾伸筋与長腓骨筋之間。後部有比目魚筋与腓腸筋。稍前脛骨動脈。与腓骨動脈。分布淺腓骨神經。

部位　在外踝上五寸。

經脈　屬足少陽胆經。

主治　热病汗不出。卒狂嚼頰。淫濼脛痠痛不能久立。虛則痿痹偏细。坐不能起。实则足胻寒热膝痛。身体不仁。經热不能行。手足偏小。

手術　鍼六分。灸五壯。

參記　（席弘賦）睛明治眼未效時。合谷光明安可缺。（標幽賦）眼痒眼疼。瀉光明於地五。

附記　此穴乃足少陽胆經之絡脈。別走入足厥陰肝經者。

陽輔　口

解剖　在腓骨與脛骨之間。有長總伸筋與長腓筋。循前腓骨動脈。分布深腓骨神經。

部位　在外踝上四寸。輔骨前。絕骨端。如前三分。光明懸鐘二穴之間。

主脈　屬足少陽胆經。

主治　腰溶溶如水浸。膝下膚腫。筋攣。百節痠痛。痿痹。馬刀瘍。喉痹。汗不出。或汗出振寒。瘧。腰脅痠痛不能立。全身痠痛。內外骨痛。瘰癧。寒熱腳痛。週身痛無常處。

手術　鍼三分。灸三壯。

別名　分肉。

附記　此穴乃足少陽胆經之脈所行為經。內經刺腰痛論註曰：在輔骨前。绝骨後。如後二分。去丘墟穴七寸。筋肉分间。又氣穴論註曰。陽維脈之脈氣所發。神農經云。治膝胻痠偏風不遂。可灸十四壯。

懸鐘　口

解剖　在腓骨之前緣。長總趾伸筋与長腓骨筋之中央。循前腓骨動脈。分布淺腓骨神經。

部位　在外踝上三寸。當尖骨前。動脈中。尋按取之。与三陰交相对。鍼灸經云。尋摸尖骨者。乃是绝骨。两分開。為足三陽之大絡。接之陽明脈绝。乃取之。

經脈　屬足少陽胆經。

主治　心腹脹滿胃不食。喉痺。欬逆。头痛。中風。虚劳。頸項痰。

手足不收。腰膝痛。腳氣。筋攣足不收。坐不能起。衄血。

四肢不举。小兒腹滿不能食飲。

性質　清三陽之熱。祛濕瀉胃降濁。

手術。鍼五分。灸五壯。

別名　絕骨。

考証　(玉龍歌)凡患瘟者。補風池瀉絕骨。(又)寒濕腳氣不可熬。先鍼三里及陰交。後將絕骨穴兼刺。腫痛(頓時)立見消。(席弘賦)腳風膝腫鍼三里。懸鐘二陵三陰交。(標幽賦)環跳懸鐘。華佗刺躄足而立行。(天星秘訣)足緩難行先絕骨。次尋條口及衝陽。(肘後歌)傷寒須補絕骨是。熱則絕骨瀉無憂。(勝玉歌)踝跟骨痛灸崑崙。更有絕骨共丘墟。雜(病穴法歌)兩足難移先懸鐘。條口復鍼能步履。

附記　此穴乃髓之會。髓病統治此。

邱墟　口

解剖　在脛腓關節下端，而跗骨之關節部。長從趾伸筋腱中。循前外踝動脈。及腓骨動脈穿行枝。分布腓骨神經。

部位　在外踝微前陷中。去臨泣三寸。

經脈　屬足少陽經。

主治　胸脅滿痛不得息。寒熱。目生翳膜。頸腫。久瘧。振寒。痿厥。腰腿痠痛。髀樞中痛。轉筋。足脛偏細。小腹堅。卒疝。腕不收。目不明。

手術　鍼五分。灸五壯。

考記　(玉龍歌)脚背疼起丘墟穴。(灵光賦)髀枢疼痛瀉丘墟。(百症賦)轉筋兮。金門丘墟来醫。(勝玉歌)踝跟骨痛灸崑崙更有绝骨共丘墟。

附記　此穴乃足少陽胆經之脉。所過為原。

臨泣　口

解剖　在第四蹠骨之後外側。而第五蹠骨之後内側間。即長短總趾伸觔腱部。循外踝骨動脉。及蹠骨動脉。分布腓骨神經之交通枝。而中足背皮神經。

部位　在足小趾次趾本節後陷中。去俠谿一寸五分。

經脉　屬足少陽胆經。

主治　胸滿氣喘。目眩心痛。缺盆中及腋下馬刀瘍。痹痛去常。厥逆。瘧疾日西發。脇痛洒淅惡寒。婦人月經不調季脇支滿。乳癰。善齧頰。小兒驚癎反視。

手術 鍼二分。灸三壯。

表記 （玉龍歌）小腹脹满氣攻心。内庭二穴要先鍼。两足有水臨泣瀉。（雜病穴法歌）赤眼迎香出血奇。臨泣太衝合谷侶。

附記 此穴乃足少陽胆經之脈。所注為俞。

地五會

解剖 在第四蹠骨與第五蹠骨間。腔之中前端部。即第四趾之第一趾骨後。循外跗骨動脈。分布脛骨神經交通枝。及中足背皮神經。

部位 在足小趾次趾本節後間陷中。去俠谿一寸。

經脈 屬足太陽胆經。

主治　腋痛，内損吐血，足外無膏澤，乳癰。

禁忌　銅人經云禁灸。灸之令人瘦，三年内死。故不宜灸。

手術　鍼一分。

考證　（席弘賦）耳内蟬鳴腰欲折，膝下明存三里穴。後再補瀉五會間。（標幽賦）眼痒眼疼，瀉光明於地五。（天星秘訣）耳内蟬鳴先五会，次鍼耳门三里内。

侠谿　口

解剖　在第四趾骨與第五趾骨第一節之前，歧骨之間。長短趾伸筋腱之附着部。循趾背動脉，分布趾背神經。

部位　在足小趾次趾歧骨間，本節前陷中。

經脈　屬足少陽膽經。

主治　胸脇支滿。寒熱病汗不出。目外眥赤痛。頷頬腫。胸痛不可轉側。耳聾。目眩目痒。目下腫。足痛。腋下腫。馬刀瘍。婦人小腹堅痛。月水不通。乳腫潰。

手術　鍼二分。灸三壯。

參記　(百証賦)陽谷俠谿。頷腫口禁並治。

附記　此穴乃足少陽胆經之脉。所溜為滎。

竅陰、口·

解剖　在第二趾骨第三節之外側。爪甲叢生根部。長短總趾伸筋附着部之外側。循趾背動脉。分布趾骨神經。

部位　在第四趾外側。爪甲角如韮葉。

經脈　屬足少陽胆經。

主治　脇痛。欬逆不得息。手足煩熱。汗不出。癰疽。口乾口痛。

喉痹，舌強，耳聾，四䏌轉筋不可舉。心煩，头痛，眼球疲痛。乳癰。

手術　鍼一分。灸三壯。

附記　此穴為足少陽胆經之脈所出，為井。

(五) 自大腿前側之上部，行膝蓋骨之外側，過外踝之前側，至第二趾外爪側端之線，凡十五穴。

髀關　口

解剖　在腸骨前下棘之外下側。為外大股筋部，內有大腿骨，循大臀筋部之上臀動脈，及股動脈。分布外股皮下神經。閉塞神經。腰鼠蹊神經。

部位　在伏兔之上。斜行向裡些，即伏兔後交紋中，去膝一尺二寸。

经脉　属足阳胃经。

治　腰痛膝寒。足麻木不仁。黄疸痿痹。股内筋络急痛。小腹引喉痛。黄疸。

手术　针六分。灸三壮。

伏兔　△

解剖　在大腿骨之前外侧。直股筋之外缘。为外大股筋部。循外回旋股动脉之分枝。分布外股皮下神经。及股神经筋枝。

部位　在膝上六寸起肉间。正跪坐而取之。一云在膝盖上七寸。左右各三指按捺其上。有肉起如兔状。因此得名。

经脉　属足阳明胃经。

主治 脚气膝冷不得温。风痹。瘾疹。头痛。

禁忌 针灸经明堂经俱云禁灸。故不可灸。

手术 针五分。

别名 外勾。外丘。

阴市 △

解剖 在大腿骨之前外侧。为外大股筋部。有外大股筋。循外廻旋股动脉下行枝。分布外股皮下神经。及股神经筋枝。

部位 在膝上三寸。伏兔下陷者宛宛中。举足取之。或云拜、而取之。或云屈膝取之。又说在膝内辅骨后。大筋下。小筋上。屈膝得之。

经脉 属足阳明胃经。

主治　膝寒如注水。痿痹不仁。不得屈伸。寒疝小腹痛满。少氣。脚氣。

禁忌　銅人經明堂經俱言禁灸。故不宜灸。

手術　銅三分。

別名　陰鼎。

考証　（玉龍歌）腿足無力身难立。原因风湿致伤残。倘知二市穴能灸。步履悠然渐自安。（席弘賦）心疼手颤少海间。若要除根觅陰市。（通玄賦）腑膝痛陰市能治。（灵光賦）两足拘挛觅陰市。（勝玉歌）腿股转酸难移步。環跳风市及陰市。

附記　千金云。此穴治水腫腹大。可灸随年壮。

编者按。銅人明堂二經。俱言禁灸。惟甲乙經云可灸三壯。其云可灸者。乃指風濕水腫而言也。此外可勿妄灸。

梁邱　口

解剖　在大腿骨之前外側。有外大股筋。循外迴旋股動脈下行枝。分布外股皮下神經。及股神經分枝。

部位　在膝上兩寸。陰市一寸。兩筋之間。

經脈　屬足陽明胃經。

主治　腳膝痛。冷痹不仁。不可屈伸。足寒。大驚。乳腫痛。腰痛。

手術　鍼三分。灸三壯。

附記　此穴乃足陽明胃經之郄。神農經云。治腰膝痛不可屈伸。宜灸三壯七壯。

犢鼻　△

解剖 在脛骨上端之外側。即膝蓋韌帶之外。下側。有膝蓋固有韌帶。循膝關節動脉網。中通關節動脉。分布上腿皮下神經。腓神經。脛骨及腓骨神經之關節枝。

部位 在膝臏下。腓骨上大筋陷中。即膝眼下外側陷凹處。形如牛鼻故名。

經脉 屬足陽明胃經。

主治 膝痛不仁。難跪起。脚氣。

禁忌 鍼灸經言鍼不言灸。說不宜灸。

手術 鍼三分以至六分。

附記 此穴善治風濕邪鬱之膝痛及脚氣。若膝臏癰腫。潰者不可治。不潰者乃可療。倘犢鼻堅硬。勿便攻之。宜先用洗熨之法。而後微刺之便愈。

三里 口

解剖 在脛骨上端，與腓骨小头関節部之下方，為前脛筋部。有前脛骨筋，與長總趾伸筋，循前脛骨動脈，及迴返脛骨動脈，分布深腓骨神經，及脛骨神經。

部位 在膝眼下三寸，胻骨外廉大筋內宛宛中，坐而豎膝低跗取之。若極力重按之，則跗上動脈止矣。

經脈 屬足陽明胃經。

主治 胃中寒，心腹脹痛，逆氣上攻，臟氣虛憊，胃氣不足，惡聞食臭，腹痛腸鳴，食不化，大便不通，腰痛膝弱，不得俯仰，小腸氣痛，腳氣，头痛眩暈，喉痹不能言，欬嗽多唾，足痿失履不收，足下熱不能久立，胸腹瘀血積聚，水腫腹脹，少腹堅硬，熱病汗不出，喜嘔口苦，壯熱，身促折。口噤口僻。亂腫亂痛。目不明。久患痢泄。善飢腹熱。身煩狂言。狂歌妄笑。恐怒大罵。霍亂。遺矢。失氣。陽厥。悽悽惡寒。小便不利。蠱毒。脛滿浮腫。五勞七傷。羸瘦損乏。

功能　升氣降氣。調中氣。清血養血行血。降濁驅寒。清熱搜風。祛濕。

禁忌　小兒忌灸。唯男婦三十以外者方可灸。不爾反生疾。

手術　鍼五分。留七呼。灸三壯。明至數十壯或百壯。

別名　下陵。足三里。

考證　百證賦中邪霍亂。尋陰谷三里之程。(席弘賦)手足上下鍼三里。食癖氣塊憑此取。(又)寒喘須尋三里中。(又)胃中有積刺璇璣。三里功多人不知。(又)氣海專能治五淋。更鍼三里隨呼吸。(又)耳内蝉鳴腰欲折。膝下明存三里穴。(又)若鍼肩井須三里。不刺之时氣未调。(又)腰連膝痛急。便於三里攻其隘。(又)脚氣膝腫針三里。懸鐘二陵三陰交。(又)腕骨腿疼三里瀉。(又)倘若膀胱氣未散。更宜三里穴中尋。(又)大便秘迯耳鳴腰疼先五会。次鍼耳門三里内。(又)若患胃中停宿食。後尋三里起璇璣。(又)牙疼头疼並咽痹。先刺二间後三里。(又)傷寒過经不出汗。期门三里先後看。金龍歌：寒濕脚氣不可熬。先鍼三里及陰交。再將绝骨穴兼刺。腫痛頓时立見消。(又)肝家血少目昏花。宜補肝俞力便加。更把三里頻瀉動。還光益血是無差。(又)水病之疾最难熬。腹滿虚脹不肯消。先灸水分並水道。後鍼三里及陰交。(又)傷寒过經猶未解。須向期門穴上鍼。忽然氣喘攻胸膈。三里瀉多須用心。(馬丹陽十二訣)能通心腹脹。善治胃中寒。腸鳴並泄瀉。腿腫膝胻痠。傷寒羸瘦損。氣蠱及諸般。(勝玉歌)霍亂中脘可深入。三里內庭瀉幾許。(又)泄瀉肚腹諸般疾。三里內庭功無比。(又)脹滿中脘三里揣。(又)腰連腿疼腕骨升。三里降下隨拜跪。(又)腳膝諸疼羨行間。三里申脈金門侈。(又)冷風濕痹鍼環跳。陽陵三里燒鍼尾。(又)大便虛閉補支溝。瀉足三里效可擬。(又)小便不通陰陵泉。三里瀉下溺如注。(又)內傷食積鍼三里。(又)喘急列缺足三里。

附記

此穴乃足陽明胃經之脈所入為合。主瀉胃中之熱。與氣衝巨虛上下廉同功。秦承祖云：可治食氣水氣。

虫蠱毒痃癖。四肢腫滿。膝脐痠痛。眼目不明。華陀云可治五勞七傷。羸瘦虛乏。瘀血乳癰。千金云。此穴可灸百壯以至五百壯。

上巨虛　口

解剖　在脛骨與腓骨之間。即前脛骨筋與長總伸筋間處。循前脛骨動脈。分布深腓骨動脈。

部位　在三里下三寸。兩筋間陷中。舉足取之。（以足跟着地。足尖足背聳起）

經脈　屬足陽明胃經。

主治　臟氣不足。偏風脚氣。腰腿手足不仁。足脛痠。骨髓冷疼。不能久立。俠臍腹痛。腸中切痛。飧泄食不化。喘息不能行。腹脇支滿。小便難。風水膝腫。

性質　益胃氣、清腸胃熱、祛濕、

手術　鍼三分以至五分、灸三壯、

別名　巨虛上廉、

附記　此穴乃足陽明與大腸合處、海論曰衝脈者其輸下出於巨虛之上下廉、本輸篇及邪氣臟腑病形篇云、上廉屬大腸下廉屬小腸、

條口

解剖　在脛腓兩骨之間、有長總趾伸筋、前脛骨筋、脩前脛骨動脈、分布深腓骨神經、

部位　在三里下五寸、上巨虛下二寸、舉足取之、

經脈　屬足陽明胃經、

主治　足膝麻木、寒痠腫痛、轉筋、濕痹、足下熱、足緩不收、不

手術　能久立、脚氣脛不得臥、
鍼三分以至五分、灸三壯、
考証　〈天星秘訣〉足緩難行先絕骨、次尋條口及衝陽、

下巨虛　口

解剖　在脛腓兩骨之間、有長總趾伸筋、前脛骨筋、循前脛骨動脈、分布深腓骨神經、
部位　在上巨虛下三寸、兩筋骨陷中、蹲地舉足取之、
經脈　屬足陽明胃經、
主治　胃中熱、毛髮焦枯、汗不出、少氣不嗜食、暴驚狂言、喉痺、面無顏色、胸脇痛、飧泄膿血、小腸氣、偏風腿痿、足不履地、風濕冷痺、胻腫、足跗不收、脚氣乳癰、
性質　清胃中之熱、

手術　鍼三分、灸三壮、

別名　巨虛下廉、

豐隆　□

解剖　在脛腓兩骨之間、有長總趾伸筋、前脛骨筋、脛前
骨動脈、分布深腓骨神經、

部位　在外踝骨上八寸、脛骨下廉陷中、去本經約五分、與
下巨虛相並微上些、

經脈　屬足陽明胃經、

主治　頭痛面浮腫、喉痺不能言、癲狂見鬼、好笑、厥逆、胸痛
如刺、大小便難、怠惰、腿膝痠痛、屈伸不便、腹痛如切、
肢腫麻痺、

性質　袪寒濕、降腸胃之熱、理痰通便、

手術　鍼三分、灸三壯、

考証　(玉龍歌)痰多宜向豊隆尋、(百症賦)強間豊隆之際、頭痛難禁、(肘後歌)哮喘發來寢不得、豊隆刺入三分深、

附記　此穴乃足陽明胃經之絡別走入足太陰脾經者、

解谿 口

解剖　在前脛骨筋腱與長總趾伸筋之間、當足跗關節之環狀靭帯部、循前內踝動脈、前脛骨動脈、分布深腓骨神經、

部位　在足跗上繫鞋帶處陷中、去衝陽後一寸五分、去內庭六寸五分、

經脈　屬足陽明胃經、

主治　風氣面浮、頭痛目眩、生翳、氣上衝、喘咳腹脹、癲疾煩

心悲泣驚悸霍亂轉筋大腹下腫胻膝跗腫善飢不食食即支滿腹脹痃癖寒熱厥氣上衝顏面暗黑

性質　瀉胃腑之熱

手術　鍼三分以至五分灸五壯

考証　（玉龍歌）脚背疼起邱墟穴斜鍼出血即時輕解務再與商邱識補瀉行鍼要辨明（百症賦）驚悸怔忡取陽交解谿勿悞

附記　此穴乃足陽明胃經之脉所行為經神農經云治腹脚腕痛目眩頭疼可灸七壯（一云療痎瘧寒熱兼刺）瘍見三里解谿商邱等穴出血（一傳說發噎將死矣之夜又亦足腰虛腫腿虛腫灸之效

衝陽　口

解剖　在足背之最高處第二第三楔状骨與第二第三蹠骨之關節部當長伸趾筋與短伸趾筋之間循前内踝動脈足背骨間動脈分布大薔薇神經及淺腓骨神經

部位　在足跗上五寸高骨間動脈即足背最高之部動脈中陷谷後三寸處

經脈　屬足陽明胃經

主治　偏風面腫口眼喎斜齒齲傷寒發狂振寒而戰慄熱病汗不出腹膨脹堅大不嗜食身發寒熱足痿跗腫或胃弱先寒後熱喜見日月光及得火乃快然者於方熱時鍼之出血立寒癲癇登高而歌棄衣而走

手術　鍼三分留十呼灸三壯

别名　會原（仲景所謂趺陽即此名也）

考証　（天星秘訣）足緩難行先絕骨次尋條口及衝陽

附記　此穴乃足陽明胃經之脈所過為原鍼此穴出血不止者死刺禁論曰刺跗上中大脈出血不止死即此穴也

陷谷　口

解剖　在第二第三蹠骨間之中央前端部即拇總趾伸筋腱中衛第一骨間足背動脈及前脛骨脈之總枝分布淺腓骨神經及深腓骨神經

部位　在次趾外間本節後陷中去內庭二寸

經屬　屬足陽明胃經

主治　面目浮腫及水病善噫腸鳴腹痛熱病汗不出振寒

痃癖少腹痛疝氣胸脇支滿腹大腫滿

手術　鍼三分以至五分灸三壯

考証　(百症賦)腹内腸鳴下脘陷谷能平

附記　此穴乃足陽明胃經之脈所注為俞胃脉弦者則瀉
此穴則木平而胃氣自盛

内庭　口

解剖　在第二趾骨第一節之前外部長總趾伸筋腱中循
第一骨間足背脉分布深腓骨神經及淺腓骨神經

部位　在次趾中趾之間脚叉縫盡處之陷凹中

經脉　屬足陽明胃經

主治　四肢厥逆腹滿不得息惡聞人聲振寒咽痛齒齲口
喎鼻衄癮疹赤白痢瘡不嗜食善頻伸數欠

考証

《玉龍歌》小腹脹滿氣攻心內庭二穴要先鍼（天星秘訣）寒瘧面腫及腸鳴先取合谷後內庭（馬丹陽十二訣）能治四肢厥喜靜惡聞聲癮疹咽喉痛數欠及牙疼瘧疾不能食耳鳴即便清（雜病穴法歌）霍亂中脘可深入三里內庭鍼幾許（又）泄瀉肚腹諸般疾三里內庭功無比（又）兩足痠麻補太谿僕參內庭盤根楚

此穴乃足陽明胃經之脈所溜為榮千金云三里內庭治肚腹諸疾妙捷經云治石蠱與大便不通宜鍼瀉此穴一云主療久瘧不愈並腹脹

附記

屬穴　口

解剖

在第二趾骨第三節之背面外側爪甲發生之根部

即長總趾伸筋腱附著部外側循前脛骨動脈之終

枝及趾背動脈分布趾背神經及淺深之腓骨神經末枝

部位　在足次趾外側爪甲角如韭葉處

經脉　屬足陽明胃經

主治　尸厥口噤氣絶狀如中惡心腹滿水腫熱病汗不出寒熱瘧不嗜食面腫喉痺齒齲吐舌惡風鼻不利滿黄多驚發狂好卧足寒脛冷不得卧膝臏腫痛

性質　瀉下焦

手術　鍼一分留一呼灸一壯

考証　〈百症賦〉夢魘不安厲兑相偕於隱白

附記　此穴乃足陽明胃經之脉所出爲井

(六)

内大轉子與生骨結節之間經膝膕窩之中部過外踝之

後側至小趾之外側爪端緣凡十八穴

承扶 △

解剖　在臀下襞壁横紋之中央即大臀筋之下際有大内轉股筋循下臀動脈坐骨動脈分布下臀神經後枝及坐骨神經

部位　在尻臀下股陰下紋中直之時在臀部高肉下垂之横紋中委中直上處

經脈　屬足太陽膀胱經

主治　腰脊相引如解久痔臀腫大便難胞寒小便不利失精陰股痛瘙癢腋下腫

其他　銅人言不灸故應禁灸

手術　鍼五分

別名　肉郄　陰關　皮部

殷門　△

解剖　在大腿後面之中央部即二頭股筋與半膜樣筋之間循股動脉分布坐骨神經

部位　在承扶下六寸膕上兩筋之間

經脉　屬足太陽膀胱經

主治　腰脊不可俯仰惡血流注外股腫

禁忌　銅人言鍼不言灸故不可灸

手術　鍼七分

浮郄　□

解剖　在大腿後下部外側二頭股筋內側當二頭股筋腱部循膝膕動脉之分枝分布膝膕神經腓骨神經

部位　在殷門下斜向外委陽穴上一寸曲膝取之、

經脉　屬足太陽膀胱經

主治　霍亂轉筋小腹膀胱熱大腸結大小便不利外股筋急髀樞不仁

手術　鍼五分灸三壯

委陽　□

解剖　在二頭股筋之內側膝膕窩之外側循膝膕動脉分布膝膕神經腓骨神經

部位　在殷門下六寸膕中之外廉兩筋之間曲膝取之

經脉　屬足太陽膀胱經

主治　腰脊腋下腫痛不可俯仰小腹堅痛引陰中不得小便胸滿身熱瘛瘲癲疾痿厥不仁脊强反折

手術　鍼七分灸三壯

考証　(百症賦)委陽天池腋腫鍼而速散

附記　此穴在足太陽膀胱經之前足少陽胆經之後出於膕中外廉兩筋之間乃膀胱經之别絡也

委中　△

解剖　在大腿與下腿骨之關節部腓腸筋之二頭筋間陷膝膕動靜二脉分布脛骨神經

部位　在膝膕窩之正中央約紋中動脉陷中伏卧屈足取之

經脉　屬足太陽膀胱經

主治　大風眉髮脱落太陽瘧從背起先寒後熱熇熇然汗出難已頭重轉筋腰脊背痛半身不遂遺溺小腹堅

下腹膨脹。髀樞風痛。膝痛足軟無力。衂血劇不止。痔痛。腋下腫痛。腰尻重不能舉。曲瞅中筋急。不得屈伸。脊強反折。瘛瘲癇疾。熱病汗不出。足熱厥逆。

性質

清血熱。驅風邪。利濕。降大腸膀胱之熱。瀉四肢之熱。

禁忌

銅人言鍼不言灸。甲乙經禁灸。故不宜灸。

手術

鍼一寸五分。

别名

郄中。血郄。腘凹。委中央。

参记

(玉龍歌)環跳能治腿股風。居髎二穴亦相同。委中毒血更出尽。愈見醫科神聖功。(又)脊背強痛瀉人中。挫閃腰痠亦堪攻。更有委中之一穴。腰間諸疾任君攻。(百证赋)背连腰痛。白環委中曾经。(勝玉歌)委中驅痹脚風纏。(四总诀)腰背委中求。(馬丹陽十二诀)腰痛不能舉。沉々引脊梁痠痛筋莫展。風痹復無常。膝头难伸屈。鍼入即安康。(肘後歌)腰軟如何去得根。神妙委中立見效。(雜病穴法歌)腰痛環跳委中求。若連背痛崑崙式。

附記

此穴乃足太陽膀胱經之脈所入為合。千金云。委中崑崙可治腰相連。太乙歌云。虛汗盜汗補委中。一云。春月王於冬。水衰於春。故春毋令出血。恐耗腎之真氣耳。一云。丸風痹腰脚重痛。於此刺血。久痼宿疹亦皆立已。

合陽　口

解剖

在腓腸筋部。有腓腸筋。循後脛骨動脈。分布後脛骨神經。膝膕神經。

部位　在膝腘约纹下二寸，即委中下二寸处。

经脉　属足太阳膀胱经。

主治　腰脊强引腹痛。阴股热。胻痠肿。寒疝偏坠。女子崩带不止。下腹痛。肠癖下血。

手术　针五分。灸五壮。

参记　（百证赋）女子少气漏血。不无交信合阳。

承筋

解剖　在腓肠筋部，有腓肠筋，循后胫骨动脉。分布后胫骨神经。

部位　在脚跟上七寸，腓肠中央陷中，即合阳与承山二穴之间陷中。

经脉　属足太阳膀胱经。

主治　寒痺。腰背拘急。腋腫。大便閉。五痔。脚跟痛引少腹。轉筋霍亂。鼽衄。头痛寒熱汗不出。惡寒支腫。脚攣脛痠。筋急痛。競久足下熱不能久立。瘛瘲。脚痠腰痛如折。

禁忌　甲乙經云不可鍼。銅人亦禁鍼。故不宜鍼灸三壯。

手術

別名　腨腸。直腸。

附記　此穴治霍亂轉筋。可灸五十壯。

承山　口

解剖　在腓腸筋部。有腓腸筋循於脛骨動脈。分布脛骨。神經

部位　在腨腸下分肉間陷中。即腿肚下尖分肉之間。去委中穴八寸。以足趾履地。兩手接壁上取之。

经脉　属足太阳膀胱经。

主治　头热鼻衄。寒热癫疾。疝气腹痛。痔肿便血。腰背痛。膝肿痓痠疼痛。霍乱转筋。战慄不能立。膝腰腨重。起坐难。腹中切痛。大便难。脚气小儿痉挛。

性質　清热血舒经脉。

手術　鍼大分。灸五壮。

别名　肉柱。鱼腹。

参記　(玉龍歌)九般痔痛最伤人。必刺承山效若神。更有长强一穴刺。呻吟大痛穴为真。(胜玉歌)两股转筋承山刺。(席弘赋)阴陵泉治心胸满。鍼到承山饮食思。(又)转筋目眩鍼鱼腹。承山昆崙立便消。(百证赋)刺长强与承山。善治肠风新下血。(灵光赋)承山转筋并久痔。(天星秘诀)脚若转筋眼花。先针承山，刺内踝。(又)胸膈痞满先除之。针到承山饮食美。(马丹阳十二诀)善治腰疼痛。痔疾大便难。脚气并膝肿。辗转战疼痠。霍乱及转筋。穴中刺便安。(肘后歌)五痔原因热血作，承山针下病无踪。(又)打扑伤损破伤风，须于痛处下针攻，再刺承山立作效，(杂病穴法歌)心胸痞满阴陵泉，针到承山饮食美。脚若转筋眼发花。然谷承山法自古。

附记 此穴今人多用之以治伤寒立效，亦有初发痈疾者灸之立已。

飞扬 口

解剖 在腓骨之外侧部。当腓肠筋之外缘，循腓骨动脉，腓动脉。分布腓骨神经，及胫骨神经。

经脉　属足太阳膀胱经

主治　痔漏不得起坐，脚痠肿不能立，膝节风不得屈伸，癫疾，吐舌，寒疟，头眩，气逆，头热，衄，项疼痛，腰痛如折，腨中痛，下部寒热，痉，体反折，鼻吸，足痿失履不收，脚气

性质　祛风驱湿，活络舒筋

手术　针三分，灸三壮

别名　厥阳

考証　《百症赋》目眩兮支正飞阳

跗阳　口

解剖　在腓骨之外侧部，有腓肠筋，偏前腓骨动脉分布，深腓骨神经

部位　在外踝上三寸，足太阳膀胱经之前，足少阳胆经之

後筋骨之間

經脈　屬足太陽膀胱經

主治　霍乱轉筋腰痛不能立髀樞股脛痛痿厥癥瘕風痺不仁頭重頰痛時有寒熱四肢不舉屈伸不能腨外廉骨痛吐瀉

手術　鍼三分灸三壯

附說　此穴乃陽蹻脈之郄

崑崙　□

解剖　在外踝阿斯利腱之中央凹陷中即長腓骨筋腱處脛後外踝動脈後腓骨動脈分布深淺腓骨神經及腓骨神經

部位　在足外踝後五分跟骨上陷中細動脈應手處

經脉　屬足太陽膀胱經

主治　腰尻脚氣足踝腫痛不能步立頭痛鼽衄肩背拘急咳喘目眩不明目痛如脱陰腫痛難產胞衣不下小兒發癇瘛瘲口閉不得開腹脹不得息大便洞泄小兒佝僂

性質　行瀉

禁忌　孕婦禁灸

手術　鍼三分灸三壯

别名　下崑崙

考證　(玉龍歌)紅腫腿足草鞋風須把崑崙二穴攻申脉太谿如再刺神醫妙訣起疲癃(靈光賦)住喘脚氣崑崙愈(席弘賦)轉筋目眩鍼魚腹承山崑崙立便消

〈馬丹陽十二訣〉轉筋腰尻痛　暴痛滿中心　舉步行不得
一動即呻吟　若欲求安樂　須於此穴鍼〈肘後歌〉腳膝
經年痛不休　内外踝邊用意求　穴號崑崙並呂細
〈雜病穴法歌〉腰痛環跳委中求　若連背痛崑崙試

附說　此穴乃足太陽膀胱經之脈所行爲經　千金云治瘧
多汗腰痛不能俯仰目如脫項如拔　崑崙主之　捷徑
云可治偏風神農經云　小兒陰腫可灸崑崙三壯　又
炷如小麥

僕參　△

解剖　在跟骨結節後下部之末梢偏於外側之所　即阿斯
利氏腱停止之外側　循腓骨動脈之枝　分布淺腓骨
神經及腓骨神經交通枝

部位　在崑崙直下足跟骨下陷中拱足取之

經脉　屬足太陽膀胱經

主治　腰痛足痿不收足跟痛霍乱轉筋吐逆膝痛癲疾兩齶叶舌鼓頷狂言見鬼恍惚尸厥淋疾脚氣

禁忌　銅人不言灸故應禁灸

手術　鍼三分

別名　安邪

考証　（玉龍賦）後跟痛在僕參求（雜病穴法歌）兩足痠麻補太谿僕參內庭盤根楚

附記　此穴乃足太陽與陽蹻脉之會

申脉　△

解剖　在外踝微下外轉小趾筋之上端腓骨動脉穿行

枝分布腓骨神經交通枝

部位　在外踝下五分㘅中可容爪甲許赤白肉際處

經脈　足太陽膀胱經

主治　風眩癲疾腿脚痛膝胻寒痠不能坐立如在舟中氣逆腿足不能屈伸婦人氣血痛髀部紋腰腿痛不能舉目反上視鼻衄不止

禁忌　銅人禁灸或不宜灸

[illegible]術　鍼三分

[illegible]穴　崑崙陽蹻

[illegible]訣　（玉龍歌）紋腫腿足草鞋風須把崑崙二穴攻申脈太谿如再刺神醫妙訣起疲癃（標幽賦）頭痛頭風刺申脈與金門（瀾江賦）申脈能治寒與熱頭痛偏風及心

聾耳鳴鼻衄腦中滿好把金鍼此穴尋（靈光賦）陰蹻陽蹻兩踝邊脚氣兩穴先尋取陰陵陽陵亦主之（又）陰蹻陽蹻與三里諸穴一般治脚氣（雜病穴法歌）頭風目眩項捩強申脈金門手三里（又）脚膝諸痛羨行間三里申脈金門侈（八法歌）腰背屈強腿腫惡風自汗頭疼

附記　此穴為陽蹻脈之所生乃八法穴中之一又為十三鬼穴之一

金門　口

解剖　在外踝之前下方五分跟骨與骰子骨間之陷凹部短總趾伸筋中循腓骨動脈穿行枝分布腓骨神經支通枝

部位　在外踝下一寸申脉前骨下陷中

經脉　屬足太陽膀胱經

主治　霍亂轉筋尸厥癲癇痫氣膝胻痠不能立小兒張口

搖頭身反折

手術　鍼三分灸三壯

別名　闕名

考証　（百症賦）轉筋兮金門邱墟來醫（標幽賦）頭風頭痛刺申脉與金門（雜病穴法歌）頭風目眩項捩強申脉金門手三里（又）耳聾臨泣與金門合谷鍼後聽人語（又）脚膝諸痛羨行間三里申脉金門侈（肘後歌）瘧疾連日發不休金門深刺七分是

附記　此穴乃足太陽膀胱經之郄

京骨　口

解剖　在足背與足蹠之境界間骰子骨與第五蹠骨關節部之陷中即小趾第一趾節骨之後部短腓筋腱處有外轉小趾筋循足背動脈之分枝分布外足蹠神經之深枝

部位　在足小趾外側本節後大骨下赤白肉際陷中按而得之

經脈　屬足太陽膀胱經

主治　腰背痛如折髀不可曲項強不能回顧筋攣善驚痎瘧寒熱目眩內眥赤爛頭痛鼽衄癲病狂走小兒拘僂頸項痠難以俯仰腳攣足寒脊頸反折腦充血腦膜炎

手術　鍼三分灸七壯

附記　此穴乃足太陽膀胱經之脉所通爲原

解剖　束骨　口

在第五蹠骨之側前部長總趾伸筋腱中即長總趾伸筋附着之部循足背動脉之分枝分布外足蹠神經之深枝

部位　在足小趾外側本節後陷中赤白肉際處

經脉　屬足太陽膀胱經

主治　腸癖泄瀉瘧痔癲狂發背癰疔頭痛目眩內眥赤爛耳聾腰膝痛項强不可回顧

手術　鍼三分灸三壯

考証　百症賦項强多惡風束骨相連於天柱

附說　此穴乃足太陽膀胱經之脉所注為俞秦承祖云可治風熱眼赤兩目皆爛

通谷

解剖　在第五趾第一節之前外側長總趾伸筋腱中節趾骨
動脉分布趾背神經

部位　在足小趾外側本節前陷中

經脉　屬足太陽膀胱經

主治　頭重頭痛目眩項痛如拔不可左右顧鼽衄清涕善驚心下悸目䀮䀮不明滿悶食不化

手術　鍼三分灸三壯

附說　此穴乃足太陽膀胱經之所溜為滎東垣曰胃氣不留五臟氣亂其在於頭者取天柱大杼在於足者取

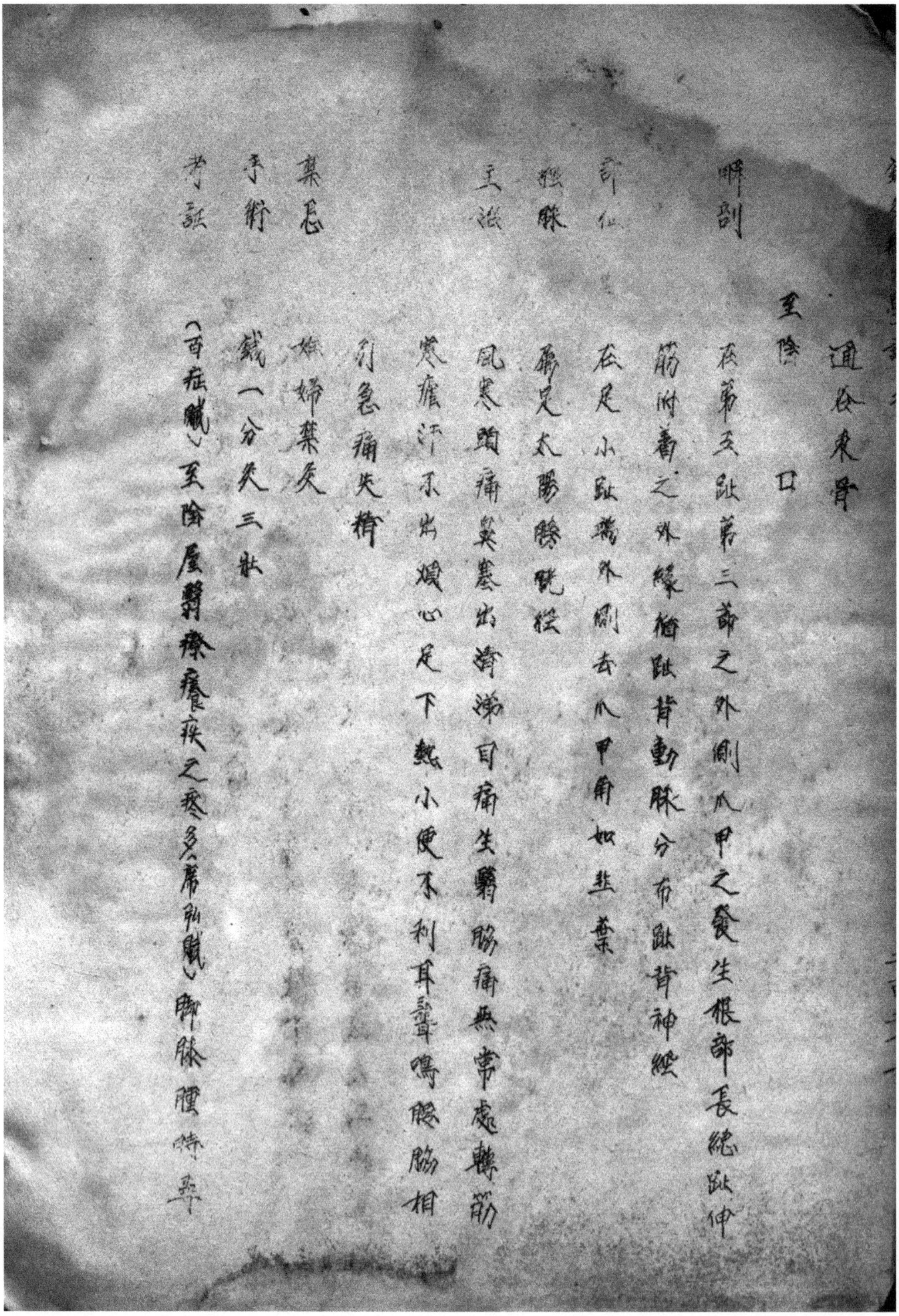

通谷束骨

至陰 口

解剖 在第五趾第三節之外側爪甲之發生根部長總趾伸筋附着之外緣趾背動脈分布趾背神經

部位 在足小趾端外側去爪甲角如韭葉

經脈 屬足太陽膀胱經

主治 風寒頭痛鼻塞出濟涕目痛生翳脇痛無常處轉筋寒瘧汗不出煩心足下熱小便不利耳聾鳴腰脇相引急痛失精

禁忌 孕婦禁灸

手術 鍼一分灸三壯

考証 （百症賦）至陰屋翳療癢疾之疼多（席弘賦）腳膝腫時尋

附記

至陰〻附後歌 頭面之疾尋至陰

此穴乃足太陽膀胱經之脉所出為井昔張仲文治一人橫產手先出諸符藥不效為灸右脚小趾尖三壯炷如小麦下火立產〻

鍼灸經穴學講義終

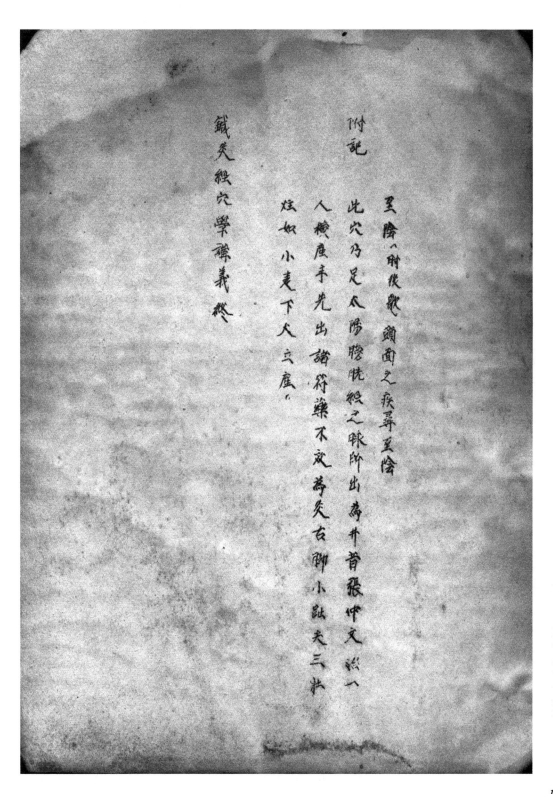

鍼灸經穴學講義補遺

孔最

解剖　在廻前筋之停上部止為膊頭骨節之內緣下為為長屈拇筋之外緣有長回後筋膊橈骨筋循橈骨動脈通頭靜脈分布外膊皮下神經及橈骨神經

部位　在尺澤下三寸腕側橫紋上七寸陷中

經脈　屬手太陰肺經

主治　傷寒熱汗不出欬逆肘臂痛屈伸難吐血失音頭疼咽痛

手術　鍼三分灸五壯

附記　此穴乃手太陰肺經之郄（郄音隙乃骨肉之交也）又與郄同閒也亦遠也言所入之經氣由此而遠出也

凡热病汗不出多灸此三壮即汗出

刺灸　口

解剖　在内桡骨节腱之外侧长屈拇筋之外缘迴前方筋中部桡骨近关节处之上侧循桡骨动脉枝通头静脉分布外膊皮下神经及桡骨神经之皮下皮枝

部位　在腕侧上一寸五分当氏云以手指交叉当食指之外筋骨罅中是穴

经脉　属手太阴肺经

主治　偏风口眼歪斜手肘痛无力半身不遂口噤不开之痎疟寒热烦燥咳嗽喉痹咽沫纵唇健忘惊痫善笑之言妄见面目四肢痈肿小便热痛实则肩背暴肿汗出虚则肩背寒慄少气不足以息四肢厥时寒时热

热病烦心身热痫瘛唇口聚鼻张目汗出如珠掌中热

性质　通水利氣清肺理寒搜風疏邪

手術　鍼二分留三呼灸三壮

参记　（玉龍歌）寒痰欬嗽更兼風列缺二穴最可攻先把太渊一穴瀉多加艾火即收功（席弘赋）氣刺两乳求太渊未应之时瀉列缺（又）列缺頭痛及偏正重瀉太渊无不应（四總訣）头项尋列缺（馬丹阳十二诀）善疗偏头患遍身風痹麻痰涎频壅上口噤不開牙

附记　此穴乃手太陰肺经之络别走入手阳明大腸经者　千金云治男子陰中疼痛尿血精出可灸五十壮　一云治四肢厥逆瘛瘲尸厥可灸百壮

經渠 八

解剖 在內桡骨莖突之外部迴前方筋中有長外轉拇筋循桡骨動靜二脈之通路及尖骨動脈分布外膊皮下神經及桡骨神經

部位 在腕後五分寸口脈上陷中

經脈 屬手太陰肺經

主治 傷寒熱病汗不出心痛嘔吐痎瘧寒熱胸背拘急胸滿膨喉痺欬逆上氣掌中熱欠伸

禁忌 灸之傷人神明故禁灸

手術 鍼二分以至三分留三呼

參證 （百证赋）熱病汗不出大都更接於經渠

附記 此穴乃手太陰肺經之脈所行為經

第二章 各部經穴

第一節 头盖部經穴

(一)沿眉间中央自前头髮際走头部正中線至後头髮際凡十一穴

(二)沿眼之内眥自前头髮際離头部正中線外側一寸五分並行于正中線至項部凡七穴

(三)沿眼之瞳孔自前头髮際離头部正中線外側三寸至項部線凡六穴

(四)沿眉後之額部上行居正中線之外第三行自上而達後際並沿耳際凡十七穴

第二節 顔面部經穴

(一)前額部凡三穴

(二) 沿颜面之正中自鼻尖至下颌凡五穴

(三) 沿眼之内眥方向至下方缘居正中线外之第一

凡三穴

(四) 沿眼之瞳孔方向至下方缘居正中线外之第二行

凡四穴

(五) 沿目外眥之方面至下方缘居正中线外之第三行

凡二穴

(六) 自耳前当下颚隅部凡四穴

(七) 耳之前际下际凡三穴

第三节 颈项部经穴

(一) 当前头部之正中线凡二穴

(二) 前颈部胸锁乳嘴筋之前线凡八穴

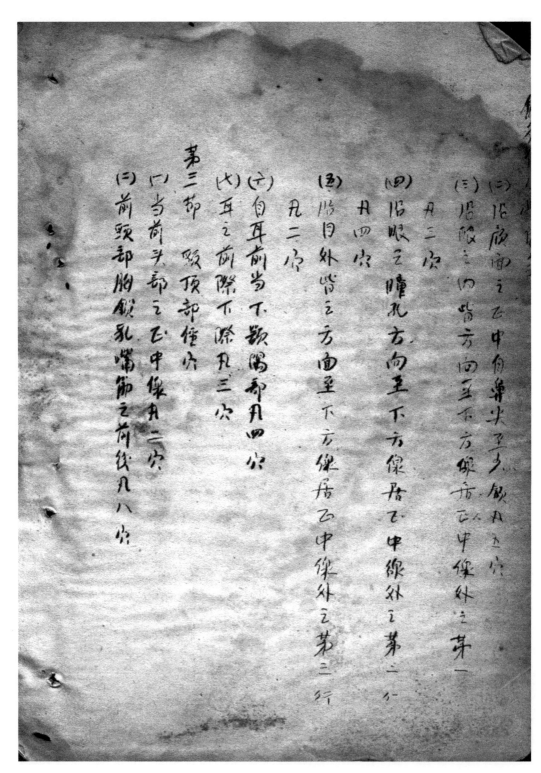

第四节　胸腹部经穴

（一）沿胸前之正中线为胸骨胸腹脐部凡二十穴

（二）腹部正中线之外侧五分第一侧线凡十一穴

（三）腹部正中线外侧二寸第二侧线凡十九穴

（四）离胸部副胸骨线之外侧二寸与乳线部距正中行

旁开四寸凡十三穴

（五）离胸部乳线外侧二寸前腋窝线部凡八穴

第五节　侧身部经穴

（一）侧胸腹部腋窝线凡八穴

第六节　腰背部经穴

（一）沿背脊之正中线自第一胸椎棘上突起至尾骶骨

止凡十四穴

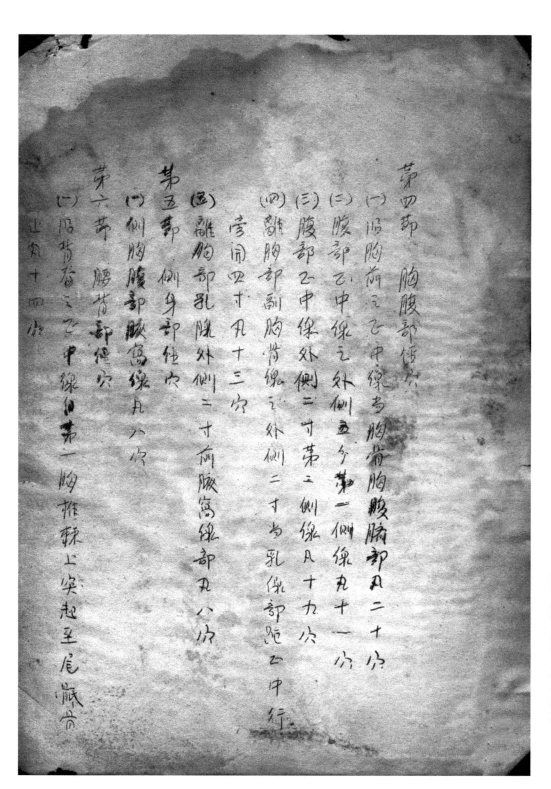

(二)骶背部正中線外側一寸五分在第一側線及後薦骨孔而尾閭骨之外側凡二十五穴

(三)後薦骨孔及尾閭骨之外側凡五穴

(四)骶背部第一側線之外側一寸五分距正中行三寸為第二側線凡十四穴

第七節 肩胛部經穴

(一)肩胛部凡十三穴

第八節 上肢部經穴

(一)自上膊之前外側經肘關至拇指橈側爪端之線凡九穴

(二)上膊前面之正中肘關之內側經中指橈側爪端之線凡八穴

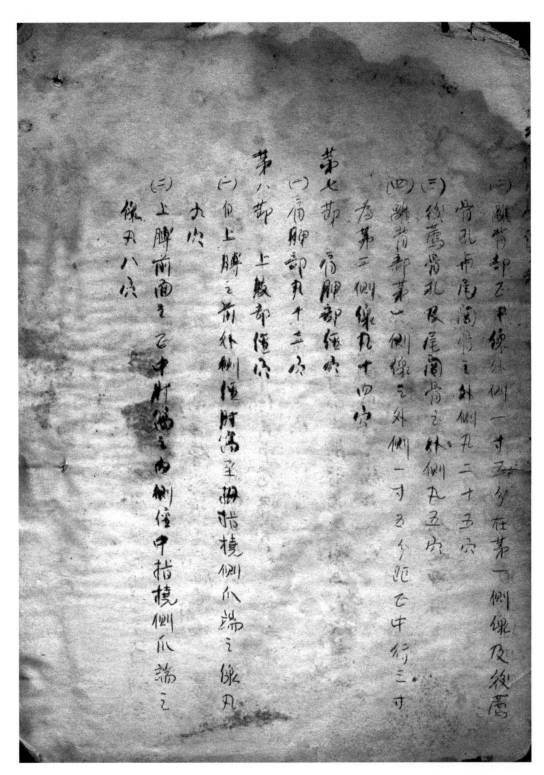

（三）自上膊之前内側腋窩之前壁經上膊内之前側至小指橈側爪端之線凡九穴

（四）自上膊之外側三角筋停止部經上膊骨外上髁之前側至示指之橈側端之爪線凡十四穴

（五）上膊後側之中部經尺骨鷹嘴突起至無名指之外側爪端之線凡十二穴

（六）上膊後側之下部自上膊骨内上髁與尺骨鷹嘴突起之間至小指側爪端之線凡八穴

第九節　下肢部經穴 269 頁

（一）自鼠蹊之中部經大腿骨内上髁過内踝之前側趾趾外側爪端之線凡十二穴

（二）自大腿前内側之中部經膝蓋骨之内側過内踝之

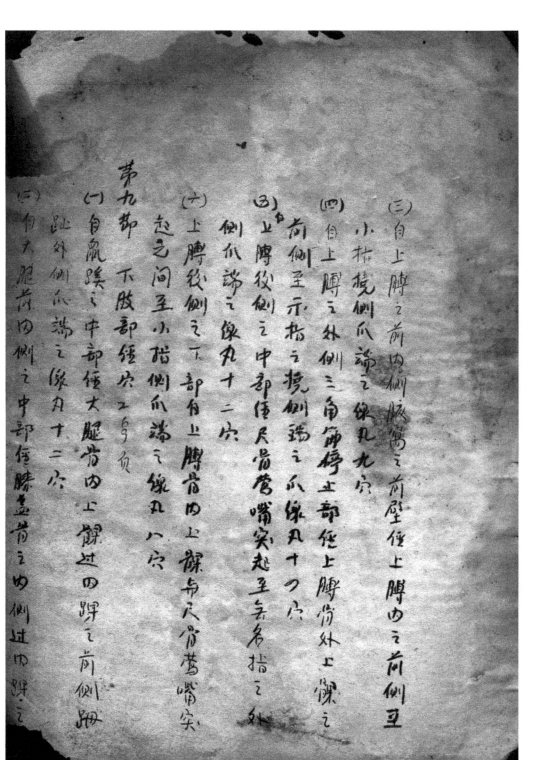

中部至拇趾内侧爪端之缘凡十一穴

（三）于膝关节之内侧自大腿骨内上髁之后侧过内踝之后侧至足之内侧更至足跟之中部缘凡十穴

（四）自大转子之前侧经腓骨小头过外踝之中部过外踝之中部至第四趾侧爪端之缘凡十四穴

（五）自大腿前侧之上部经膝盖骨之外侧过外踝之前侧至第二趾外侧爪端之缘凡十五穴

（六）自大转子坐骨结节之间经膝腘窝之中部过外踝之后侧至小趾外侧爪端之缘凡十八穴

第十节 补遗

针灸经穴学讲义目录终